D0813054

Les Éditions du Boréal
4447, rue Saint-Denis
Montréal (Québec) H2J 2L2
www.editionsboreal.qc.ca

BOUCHE-À-BOUCHE

DU MÊME AUTEUR

Côte-des-Nègres, roman, Boréal, 1998.

Mauricio Segura

BOUCHE-À-BOUCHE

roman

Boréal

Les Éditions du Boréal remercient le Conseil des Arts du Canada
ainsi que le ministère du Patrimoine canadien et la SODEC
pour leur soutien financier.

Les Éditions du Boréal bénéficient également du Programme
de crédit d'impôt pour l'édition de livres du gouvernement du Québec.

L'auteur remercie le Conseil des Arts du Canada
pour l'appui financier accordé à ce projet.

Dépôt légal : 2e trimestre 2003
Bibliothèque nationale du Québec

Diffusion au Canada : Dimedia
Diffusion et distribution en Europe : les Éditions du Seuil

Données de catalogage avant publication (Canada)

Segura, Mauricio, 1969-

Bouche-à-bouche

ISBN 2-7646-0225-1

I. Titre.

PS8587.E384B68 2003 C843'.54 C2003-940656-3

PS9587.E384B68 2003

PQ3919.2.S43B68 2003

Between grief and nothing I will take grief.

WILLIAM FAULKNER,
If I Forget Thee, Jerusalem

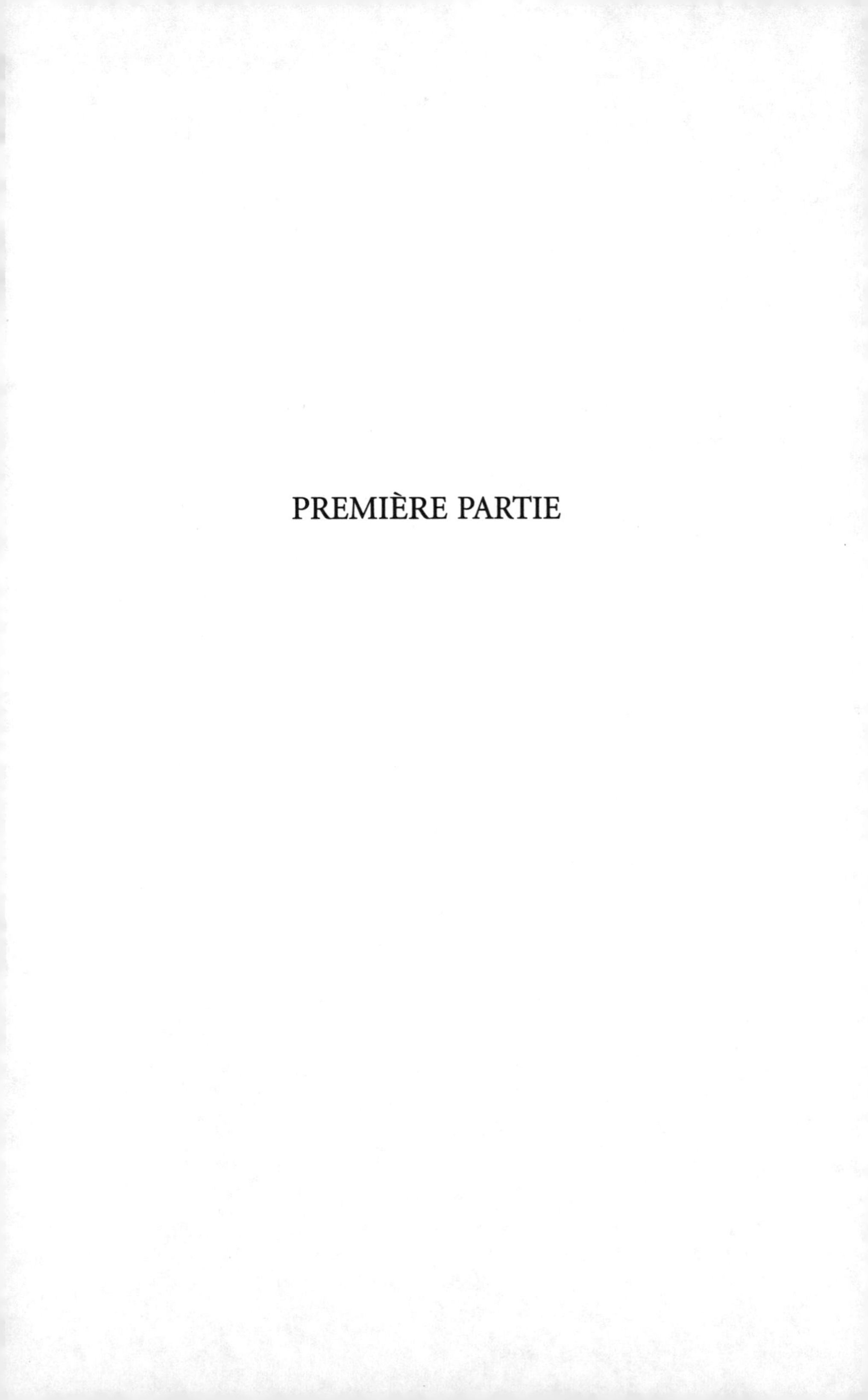

PREMIÈRE PARTIE

1

PÉNÉTRER DANS le clair-obscur glacé du Valmont lui donnait toujours l'impression de passer d'un monde à un autre. Surtout les après-midi ensoleillés d'automne, quand la lumière acquiert cette limpidité de ruisseau qui rend les érables et le jaune des taxis d'une netteté aqueuse. Ébloui, Johnny entrait dans le café, qui à la tombée de la nuit se réorganisait en bar, et n'arrivait à distinguer les objets insolites (cheval de Troie, arquebuses, instruments de torture, coques de navires naufragés, cygnes empaillés, statues amputées de leurs bras ou de leurs mamelons) qu'au bout de confondantes secondes, où son avenir se présentait à lui comme un tunnel blanc. Les perruques XVIIIe siècle des serveurs, les robes qui donnaient du fil à retordre aux serveuses se faufilant entre les tables, la fatigue morale des dandys et des vamps avachis sur les canapés, feignant d'être plongés dans des lectures abyssales, la réflexion des miroirs rococo et le cynisme des ventilateurs, tout cela lui sautait à la figure et il perdait pied. Le Valmont était une expérience ; c'est pourquoi, dès le début de leur liaison, Nayla et lui en avaient fait une sorte d'extension de leur salon.

Ce jour-là, Alek, une collègue mannequin, de père éthiopien et de mère thaïlandaise, front bombé, pommettes gracieuses, longues tresses fines, l'attendait, les yeux en amande rivés sur la vapeur vert pistache qu'exhalait le cocktail qu'elle avait commandé. Il s'est penché sur elle avec une lenteur excessive, a remué du bout des lèvres l'air près de sa joue, lui a prodigué des compliments sur sa coiffure en s'asseyant devant elle, a tourné en dérision ses propres sautes d'humeur, pour aborder, après d'autres banalités, comme ils le faisaient tous les jeudi soirs, sans que cela soit convenu entre eux, simplement parce qu'il prenait plaisir à lui parler en confidence, son sujet de prédilection, Nayla.

À mots couverts d'abord, il a évoqué la période qui avait précédé la rencontre avec sa bien-aimée, prologue flou, marqué par une rage de vivre adolescente, ce qui a soutiré à Alek un rayon de sourire dans l'entrebâillement de ses lèvres. Son dessein était de remonter le fil de sa mémoire jusqu'au jour où il était entré dans la vingtaine, accroché au miroitement de ses illusions littéraires, seul (son père avait disparu depuis des lustres, sa mère était retournée au Chili, la terre natale), se faisant au passage chroniqueur de la récession des années 1980. Il a encore une fois rappelé le bourdonnement continu des moustiques autour du lac dont il ne se souvenait plus du nom, le bain de minuit au milieu des lumières abîmées dans les flots, et il a tissé des liens présomptueux, improbables, entre la chute du mur de Berlin et le début de sa relation amoureuse avec Nayla. De nouveau, il s'est longuement arrêté à leur première conversation, entrecoupée de halètements, puisqu'ils étaient dans l'eau, y cherchant les signes avant-coureurs de la déroute à venir, et, de nouveau, Alek a fait semblant de prêter une oreille attentive, ce qui l'a incité à enjoliver son récit.

— C'était le début de la décennie, a dit Johnny, ne sachant trop où le mènerait sa tirade, marquant une pause pour faire durer le plaisir de l'inconnu. Nayla et moi voyagions tellement qu'il nous arrivait de sortir la tête par la fenêtre de notre chambre d'hôtel pour savoir où nous nous trouvions. Nous ignorions encore qu'une époque faste, euphorique, entièrement livrée aux plaisirs et aux jeux, s'annonçait. Même les écrivains, en ce temps-là, ne trouvaient rien de mieux que de partir à Venise sur les pas de Casanova pour pleurer les ruses du séducteur. Vraiment, en rétrospective, c'était une drôle d'époque. Se plaindre était une impolitesse, et l'on encourageait les éloges délirants à propos de films prévisibles et de romans qui avaient l'allure de puzzles ou de provocations calculées. Remarque, je devrais parler au présent ; aujourd'hui, nous vivons toujours dans les années 90.

Les lèvres charnues d'Alek ont donné des signes de lassitude, mais Johnny ne s'est pas laissé abattre :

— Cette année-là, les bombes n'avaient pas encore plu sur le ciel numérique de Bagdad. On en était encore à fêter la dégringolade du camp socialiste. Une nuit incandescente, Nayla et moi avions placé la télévision au pied du lit pour suivre en direct les festivités entourant la chute du mur de Berlin. Et aussi, *natürlich,* pour faire l'amour durant les publicités. Même que…

— Je sais, je sais, a fait Alek en cachant tant bien que mal son impatience naissante derrière un sourire suggestif. Vous avez baisé comme des cannibales et, au petit matin, en la voyant étendue sur ton bras, les joues pourpres, tu aurais juré que tu avais passé la nuit avec une autre femme.

Alek s'est levée et, comme d'habitude, elle lui a fait signe de la tête. Sans hésiter, comme hypnotisé sous l'effet de l'ezquétéré — le nec plus ultra des capsules hallucinogènes —, il lui a emboîté le pas, sachant très bien où ils allaient, suivant du regard le mouvement souple des fesses de sa collègue. Après tout, s'est-il dit, le désintérêt d'Alek était compréhensible ; son penchant à lui pour la nostalgie l'était moins. Elle s'est arrêtée devant la petite porte blindée au centre du bar pour tendre la somme exacte de leur entrée à l'homme maigre flottant dans une queue-de-pie, coiffé d'un haut-de-forme, affichant un air maussade. L'homme a ouvert la porte, et ils se sont penchés pour pénétrer dans le tunnel qui menait à la pièce blanche comme neige, où l'on ne pouvait distinguer le sol des murs. Les sens en éveil, ils ont attendu. Il a fermé les yeux avant que le flot de lumière ne lui brûle la rétine pour revoir, magnifié par le souvenir, le visage affaissé de Nayla quand elle rentrait le soir du travail, le chemisier froissé, empestant l'eau de Cologne pour homme, tandis que le carillon de Big Ben emplissait la pièce blanche.

Quand il a ouvert les yeux, un vent doux courait sur des steppes sablonneuses, prévisibles. Des lignes horizontales dessinaient un plateau derrière lequel se dressait une chaîne de montagnes de pierre, dont la sérénité contrastait avec le bleu électrique du ciel. Prévisible aussi l'apparition du troupeau d'antilopes venu s'abreuver de l'eau turquoise de l'oasis.

— Mon grand-père est né de l'autre côté de cette montagne, a dit Alek d'une voix qui éveillait des échos rapprochés. Je désirais tant me retrouver ici depuis quelques jours.

Johnny a reconnu cette tristesse fière, cette mélancolie qui joue la comédie, ce désir de renouer avec une tradition perdue. Il s'est senti solidaire d'Alek, il a compris pourquoi son odeur de lit défait, mêlée à celle de parfums importés, emprisonnés dans de petits flacons, lui plaisait tant. Il s'est approché d'un palmier, s'est agenouillé pour se regarder dans l'eau et, comme toujours, il s'est trouvé plus digne et plus beau que dans la réalité. Au-dessus de sa tête, sur fond de ciel sans nuage, il a aperçu le doux visage ovale d'une fille à la chevelure blond-roux et aux yeux aussi clairs que l'eau de l'oasis.

— Caroline est nouvelle à l'agence, a expliqué Alek. Elle vient de Genève. On fonde, peut-être à tort, beaucoup d'espoirs sur elle. Tu comprends pourquoi, ce look d'orpheline gâtée, cette image de vierge effarouchée. J'aurais pu être plus audacieuse dans mon choix, je sais. Je me suis pliée à tes critères. J'ai pensé qu'avant de la rencontrer tu voulais peut-être l'observer à son insu.

Défilant dans le ciel, les images, glanées dans les magazines de mode, montraient des aspects irréconciliables du mannequin. La fille lui paraissait tantôt bête et obéissante comme une poupée, tantôt — quand ses yeux s'éclairaient de reflets rusés — capable d'immondices tendres. Il s'est déplacé pour varier la perspective : elle souriait en découvrant ses gencives et marchait vers lui en balançant les fesses. Les antilopes ont reculé d'un pas, les yeux luisants, et déjà Caroline faisait demi-tour, à la fois gauche et gracieuse, un poing posé sur la hanche. Il s'est rappelé une nuit chaude comme une étreinte tandis que Nayla et lui se trouvaient sur le balcon de son appartement de Greenwich Village. Le froissement sensuel des feuilles des hêtres, le rire répété d'une passante qu'il ne voyait pas, la colère des voitures, le verre à moitié plein en équilibre sur la rampe, le bras tendu et la voix rauque de Nayla : « Il nous faut une brise, un air de Debussy... » Après le peu qu'il venait de voir de Caroline, sa mission pouvait tout autant réussir qu'échouer.

— Tu verras, a dit Alek.

Dans la pièce blanche, toute trace de Caroline a disparu, n'ont subsisté que des restes de friture électronique et des symboles mathématiques. Alors, sans prévenir, le sourire disposé à basculer dans les sables mouvants des mirages successifs, Alek a ouvert son veston de lin pour le faire glisser le long de ses épaules d'ébène, découvrant des mamelons accusateurs. Il s'est approché d'elle, a passé une main sous un sein, l'a relevé légèrement comme s'il le soupesait, comme elle l'exigeait d'ordinaire, puis il a piqué du nez vers sa poitrine, salive, glissements, clapotis, rugosité, écorce à fleur de peau, sur quoi Alek a laissé échapper des exhalaisons vaporeuses, des grognements satisfaits qui ont fait fuir les antilopes. Le chatoiement du sable s'est recouvert d'un tapis de mousse, des plantes se sont mises à ramper vers l'azur lumineux, la colline au loin s'est peuplée d'arbres centenaires aux troncs lascifs. Au moment où des figures rondes de singes apparaissaient ici et là, les doigts de Johnny s'ouvraient un passage, pétale par pétale, dans une confusion humide aux effluves de papaye et de mangue, tandis que la main d'Alek lui glaçait la nuque, et que des murmures à peine audibles récitaient à son oreille une suite joyeuse de jurons. Quand il a glissé la main sous les fesses d'Alek en direction de l'anus, il a aperçu, quelque peu épouvanté, les premières couleuvres amazoniennes, au visage en forme de losange et à la langue frétillante, qui guettaient, aurait-on dit, le moment opportun pour les mordre.

COLIN PARAISSAIT moins séduisant que sur la photo — où, la bouche fermée devant un micro, les yeux scintillants, il arborait un air de gamin malicieux. Tantôt abattu, tantôt anxieux, il remuait les lèvres comme s'il s'adressait à son reflet entouré de bouteilles de whisky et de cognac, les coudes posés sur le comptoir du Denimo, un bar du Soho londonien. Il laissait parfois tomber une main à la manière d'un pantin ou tentait de se convaincre de son importance en ponctuant ses fins de phrases de coups de tête chevalins. Quand ses narines se dilataient, son long nez faisait penser à un pénis se gonflant avant les impulsions convulsives de l'éjaculation, s'est dit Nayla, se doutant que le comprimé d'ezquétéré avalé plus tôt contaminait de plus en plus ses pensées. En somme, elle avait l'impression d'avoir croisé le sosie de ce gars une centaine de fois.

Colin Goodman. Chanteur des Stonehead, vedette rock au style changeant, tantôt viril, rebelle, quoique soigné, tantôt jouant la simplicité, le voisin de palier sympa, jean, t-shirt délavé, il avait refusé deux sollicitations de l'agence pour poser dans *GQ* et *Elle*. Selon Antoine, un bon ami à elle qui était aussi photographe, il avait la réputation d'avoir son franc-parler, de cultiver un cynisme chic, d'être un fauve au lit.

Selon ce que savait Nayla, l'homme avec qui Colin discutait s'appelait Mark. Américain, mannequin, blond, il rougissait facilement et coulait des regards émerveillés vers Colin et ses gestes brusques, emphatiques, remuant l'air frigorifié du bar. Parfois, quand ce dernier prenait une gorgée de gin tonic, le blond étirait le cou à la recherche d'une paire de fesses, en repérait une, la suivait des yeux, la peau diaphane de son visage laissant deviner, sous l'éclairage des néons lilas, la forme du crâne. Il lui semblait que Mark tentait désespérément de se défaire de sa timidité ; il s'efforçait — souvent au moment où le phare d'avion balayait sa figure d'une lumière crue — de suivre de la tête le rythme de la musique drum & bass, laquelle échafaudait à la hâte, virtuose, obstinée, des immeubles de verre sur la rive d'un fleuve mauve. Lorsqu'il a voulu commander un deuxième bourbon, il a eu un geste de recul en voyant la peau semblable à un raisin sec du serveur, un costaud pourtant dans la trentaine, les cheveux relevés en une queue de cheval — coiffure récemment redevenue à la mode pour les hommes. À n'en pas douter, a pensé Nayla, une surdose d'ezquétéré.

Colin s'est levé pour saluer de la main deux filles immobilisées à l'entrée, qui secouaient leur imperméable pour en chasser les poches d'air froid. Nayla en a profité pour se glisser entre deux ombres tenant des tubes de verre et pour s'asseoir sur le tabouret inoccupé. Depuis qu'on ne la sollicitait plus autant sur les *catwalks*, depuis que l'agence lui confiait des « missions spéciales », elle se laissait pousser les cheveux, s'habillait toujours d'un chemisier de soie blanche et d'un veston noir, et surtout feignait de profiter des plages de temps qui s'étendaient à l'infini devant elle. Mark a plongé les yeux dans son décolleté et plaqué un sourire goguenard sur ses lèvres, puis il l'a couvée de ses yeux fendus d'une bienveillance soudaine, qui semblaient dire « tu vois, je ne suis pas aussi timide que tu le croyais… » Nayla a soupiré intérieurement :

comment faisait-elle pour passer à travers des nuits tragicomiques comme celle-ci ? Vraiment, comment faisait-elle pour endurer toute cette vanité ?

La conversation a débuté, incisive, décousue, portant de plus en plus — ô surprise — sur les pratiques sexuelles. Mark tenait des propos ambigus *(« I really enjoy the company of older women »)*, camouflait mal l'ascension de son désir, scrutait le visage de Nayla pendant de longues pauses, comme pour savourer le temps qui filait et dont il était tout d'un coup si conscient. Le buste de Colin est apparu dans les yeux vert d'eau de Mark, et elle a résolu de l'ignorer. Elle a senti le souffle de Mark à son oreille, il lui demandait son prénom. Avec force courbettes et d'une voix sentencieuse qui se voulait comique, il a fait les présentations.

Quand les yeux de Colin croisaient ceux de Nayla, un sourire moqueur flottait sur ses lèvres, comme s'il avait tout deviné, comme s'il lui disait tout bas qu'il avait des informateurs. Nayla a fait un pas vers Mark, le bras tendu, la bouche entrouverte, la respiration courte, comme pour héler le serveur au visage prématurément vieilli, et elle a enlacé l'Américain en plaquant ses seins contre lui, a senti son palmier relever l'échine comme si le jour se levait. Tout en massant la cuisse de Mark, elle a lancé un œil concentré, défiant, vers Colin. Il semblait soupeser les possibilités qui s'offraient à lui : partir, rester, la gifler, l'étreindre. Sans crier gare, elle a jeté les bras autour du cou de Colin pour froisser sa chemise et lui susurrer à l'oreille : « Je ne veux pas continuer à être une racine dans les ténèbres, vacillante, étendue, grelottante de rêve, toujours plus bas, dans les pisés mouillés de la terre, abso[illegible] et pensant, mangeant chaque jour. » Longue[illegible] l'a considérée, le visage froncé, et Nayla a se[illegible]tincelle de joie lui parcourir le ventre.

Elle a tourné les talons pour mu[illegible] une cochonceté spirituelle à Mark. Quelques instants plus tard, après que ce dernier eut vaguement salué son copain, Nayla et lui ont fendu la foule, bras dessus, bras dessous, sous le regard perplexe, faussement ironique de Colin. Dans le taxi, elle a repoussé Mark qui quémandait une pipe en lui bécotant le cou, elle a détourné la tête pour suivre sur la vitre les gouttelettes serpentines, qui voilaient une obscurité aux éclats sordides et tapageurs. À l'appartement de Mark (aux plafonds de seize pieds, avec vue sur les jardins et le sentier équestre de Hyde Park), elle s'est allongée sur le canapé de cuir suédé. Ne faisant aucun cas de Mark, elle a allumé la télé pour tomber sur un film gore. Elle a placé une main derrière la tête et, de l'autre, a déboutonné son chemisier, comme si elle demandait un massage des seins.

Mark est apparu dans la flaque de lumière du salon, deux verres de whisky dans les mains. Il s'est assis à l'autre bout du canapé pour caresser les jambes de Nayla, tout en sirotant son verre, les yeux rivés sur le film. Au bout d'un moment, elle a levé le bassin très haut et fait glisser son pantalon et son slip blanc en bombant sa croupe épilée. Il a eu un rire étonné, a déposé son verre sur la petite table d'acajou noir et lui a demandé d'une voix hésitante et enrouée : « Avec ou sans… capote ? » Ne sachant trop pourquoi, elle s'est souvenue des jurons que lui apprenait le tenancier arabe de la tabagie au Pouliguen, quand elle partait en vacances chez son oncle avec sa mère, et que ce dernier l'envoyait chercher une cartouche de cigarettes. Elle l'a attiré vers elle pour ébouriffer sa coiffure drue, militaire. Il a quitté le salon, ce qui a permis à Nayla de laisser tomber le comprimé dans son verre ; quelques petites bulles ont menacé de déborder.

Il est revenu flambant nu, les muscles lavés par la lumière crue, pendant que sur le petit écran des gouttes de sang mouraient en zigzaguant. En le guidant de ses mains, elle l'a incité à s'étendre sur la table de verre et l'a chevauché en lui soutirant des geignements. Elle a alors reçu une petite goutte de sang sur le dos, qui est descendue en sinuant jusqu'à la fente de son cul. Comme elle massait les cuisses maigres, lisses, étonnamment féminines de Mark, et remontait vers l'entrejambe, trois gouttes formant un triangle sont apparues sous le nombril, comme des balles perdues. Soudain, le dos et les jambes de Nayla ont été aspergés de sang, son épiderme s'est hérissé, tandis que sur le petit écran un vieux barbu prolongeait un rire qui se voulait sadique. À la dérobée, de l'auriculaire, elle a poussé le vase de cristal au-dessus de la tête de Mark, et un intense grésillement a empli l'air. Mark a écarquillé des yeux déjà vitreux, a tenté de se relever, mais, la main à plat sur sa poitrine, elle a de nouveau plaqué son dos contre la table. Il a cessé de lui caresser les seins quand elle s'est mise à tracer d'un doigt trempé de sang des bonshommes sur son torse sans poil — comme elle le faisait sur le sable mouillé à la plage, à l'aide d'une branche, sous l'œil vigilant de sa mère, enfouie sous une couverture de coton à l'ombre d'un parasol multicolore. Tandis que le vieillard barbu ricanait de plus belle, elle sentait le membre en elle, sans entrain, endolori, anéanti. La figure tuméfiée, les lèvres sèches et frémissantes, il hallucinait. Peut-être était-elle une licorne blessée à la patte, cernée par des lions rugissants ? Une sorcière, la tête chauve posée sous le couperet d'une guillotine ? Revigorée, elle a levé les bras en faisant semblant d'agiter des castagnettes, la peau pâlie par les rayons violents du petit écran. Au moment où l'ezquétéré déversait sur lui ses vagues envoûtantes, il a ri un bon coup et, comme un somnambule, comme s'il ne désirait rien d'autre que le confort de l'allaitement pour l'éternité, il a relevé la tête pour cueillir entre ses lèvres un des mamelons de Nayla.

2

DEPUIS QUELQUES semaines, à la demande d'un ami qui venait de fonder une revue alliant la réflexion sur les arts et la philosophie, Antoine jonglait avec l'idée d'écrire un court essai sur l'hédonisme ambiant. Il était parti de la définition que donnent la plupart des dictionnaires (« doctrine qui prend pour principe de la morale la recherche du plaisir, de la satisfaction et l'évitement de la souffrance ») pour aboutir à la fameuse *Lettre à Ménécée* d'Épicure : « Nous disons que le plaisir est le commencement et la fin de la vie heureuse. C'est lui en effet que nous avons reconnu comme bien principal et conforme à notre nature, c'est de lui que nous partons pour déterminer ce qu'il faut choisir et ce qu'il faut éviter, et c'est à lui que nous avons finalement recours lorsque nous nous servons de la sensation comme d'une règle pour apprécier tout bien qui s'offre. »

S'il avait bien compris, le plaisir était pour Épicure non seulement une « règle » de conduite, mais également le « bien principal et conforme à notre nature », c'est-à-dire ce qui permet à l'homme de rester fidèle à lui-même, voire ce qui lui permet de distinguer le bien du mal. Autrement dit : le plaisir était intrinsèquement bon, une sensation qui débouchait sur une éthique. Ainsi, dans le monde épicurien, le plaisir était une sorte de boussole permettant à ses adeptes de ne jamais s'égarer.

Antoine a poursuivi sa lecture : « Or, précisément parce que le plaisir est notre bien principal et inné, nous ne recherchons pas tout plaisir ; il y a des cas où nous passons par-dessus beaucoup de plaisirs s'il en résulte pour nous de l'ennui. [...] En tout cas, il convient de décider de tout cela en comparant et en examinant attentivement ce qui est utile et ce qui est nuisible, car nous en usons parfois avec le bien comme s'il était le mal, et avec le mal comme s'il était un bien. » Voilà des propos qui l'ont étonné : d'une part, le philosophe ne cherchait pas tant la vertu ou l'essence d'une chose que son utilité ; d'autre part, ses arguments donnaient l'impression d'être sournoisement individualistes et matérialistes, car « utile » et « nuisible » à qui ? À soi ? À la société ? Et « utile » dans quel sens ? En vue de satisfaire un besoin matériel ? Épicure ne précise pas, mais il est permis de tirer ses propres conclusions, a pensé Antoine.

La dernière phrase, en mettant en lumière la difficulté des contemporains d'Épicure à départager le bien et le mal, faisait écho à l'indécision morale actuelle. Plus moderne qu'il ne le croyait, Épicure.

« Bien sûr, a écrit Antoine, l'hédoniste contemporain, qu'il fréquente les bars en quête de plaisirs éphémères ou qu'il consomme pour se faire plaisir, n'adhère sans doute pas au reste (souvent oublié) de la doctrine philosophique d'Épicure, laquelle, comme on le sait, comporte une théorie de la connaissance sensualiste, une cosmologie atomiste, matérialiste et mécaniste ; mais assurément il ne renierait pas cette primauté des plaisirs. »

Il en était là de ses réflexions quand on a sonné à la porte. C'était Colin. Il jouait à l'embarrassé, par politesse : il savait que lorsque le soleil se mourait derrière le mont Royal, Antoine était d'attaque à son ordinateur. Ils sont passés au salon, et Colin n'a pas tardé à bégayer, freinant, malhabile, son envie ardente de le questionner. Il disait n'importe quoi, assis dans le salon, la tête au même niveau que le cactus vert olive, des lunettes de soleil à la monture futuriste accrochées à l'échancrure de sa chemise noire, les cheveux luisants enduits de gel.

Antoine pensait à la séance de photo de *The End of Irony*, le dernier album des Stonehead, où ils avaient fait connaissance. Il avait senti le courant passer quand Colin s'était lancé avec naturel dans l'éloge des photographies de Robert Capa du débarquement allié sur les côtes normandes en 1944. Plus tard, au restaurant, ils s'étaient retrouvés l'un devant l'autre, et cette bonne impression s'était renforcée quand le chanteur avait décrit avec un mépris doux les poignées de mains, les rictus, les formules de politesse et les commentaires assassins qu'il supportait quand il négociait avec ses producteurs. Antoine lui avait alors confié que, mise à part l'occasionnelle vie mondaine entourant les photos de mode qu'il faisait pour l'agence, il avait cessé de jouer à l'artiste en société, allergique aux propriétaires de galeries, aux agents, aux journalistes, et qu'il se vouait exclusivement au projet Victoria, sa quête absolue.

— Tu te souviens de Mark? a demandé Colin. Tu sais, le nouveau mannequin de l'agence?

Il a posé les poings sur les cuisses, les pupilles nerveuses. Le pouce sous le menton, Antoine a acquiescé, le front creusé de petites tranchées.

— Hier à Londres, a continué Colin, il se faisait draguer par une fille de manière assez grotesque. À un moment, cette fille a dit quelque chose comme : « Je ne veux pas être une racine dans les ténèbres, vacillante, grelottante de rêve… » Tu sais, cette phrase que tu répètes quand tu te soûles. Nayla, qu'elle s'appelle.

Sans ciller, d'une voix nette et lisse, Antoine a dit :

— Et alors?

— Ce prénom ne te dit rien? C'est un mannequin français, maghrébine si je me fie à son look. Apparemment, elle a des amis à Montréal.

Antoine a feint d'étouffer un bâillement, a battu des paupières comme pour éliminer les larmes accumulées. Il a fait d'une voix douce :

— Colin… Une fille cite à Londres le même

poète que moi, et donc nécessairement je la connais ? Tu deviens fou, ou quoi ?

Colin le guettait, le visage figé dans une expression d'attente :

— Je sais, c'est con. Mais quelque chose dans le ton, quelque chose dans sa voix te ressemblait terriblement.

Antoine a souri intérieurement. Quand, une dizaine d'heures plus tard, il se réveillerait, recroquevillé, la première pensée qu'il aurait serait de se souvenir de la remarque de Colin. Ainsi, il n'était pas le seul à s'être aperçu de la filiation secrète entre elle et lui. Il avait toujours pensé qu'ils se ressemblaient physiquement, même si à première vue cela ne sautait pas aux yeux.

Sur le coup, il s'est contenté de soutenir le regard insistant de Colin, tandis que les manigances tordues de Nayla, son machiavélisme, lui ont rappelé une image inspirée par une lecture récente, celle de fauves suivant à la queue leu leu une déesse. Il était tombé par hasard sur un hymne homérique décrivant le mythe d'Aphrodite. Les quelques lignes lui avaient tant fait penser à Nayla et à Johnny, pour qui désir rimait forcément avec danger et noirceur, qu'il avait décidé de les apprendre par cœur : « [Aphrodite] atteignit l'Ida aux mille sources, la montagne mère des fauves : derrière elle, marchaient en la flattant les loups gris, les lions au poil fauve, les ours et les panthères rapides, insatiables de faons. À leur vue, elle se réjouit de tout son cœur et jeta le désir en leur poitrine ; alors ils allèrent tous à la fois s'accoupler dans l'ombre des vallons. » Incroyable qu'un poète d'il y a deux mille neuf cents ans décrive aussi bien la sexualité d'aujourd'hui ! ne cessait de se dire Antoine.

Ce passage lui fournissait par ailleurs la preuve qu'il cherchait depuis quelque temps : dès l'Antiquité, le désir sexuel a été associé à la voracité, aux pulsions carnassières. Voire, le désir sexuel était représenté comme un acte violent, sanguinaire, une sorte de mauvais sort. Pourquoi ? Pourquoi le désir n'évoquait-il pas l'allégresse ou une intense sensation de bien-être ? Pourquoi Aphrodite se réjouissait-elle d'être suivie par des fauves ? Au cours des siècles suivants, pourquoi la pensée occidentale n'a-t-elle fait qu'accentuer ce rapport entre le mal, l'occulte et le désir ?

En tout cas, Homère, lui, n'était pas hédoniste. Il se méfiait du désir et, dans son monde à lui, le plaisir sexuel se consommait à l'ombre, discrètement, comme un mourant voulant agoniser en paix. Aujourd'hui, qui donc l'avait emporté ? Épicure ou Homère ? Était-ce match nul ? Les décennies à venir verraient-elles surgir hors de tout doute un vainqueur ?

— Oublie ça, a dit Colin. La vérité, c'est que je ne me sens pas très bien depuis quelque temps.

Il a poursuivi d'une voix basse, presque un murmure, en appuyant juste ce qu'il fallait sur la note dramatique, sur son manque d'enthousiasme devant ses projets musicaux, la mésentente croissante entre les membres des Stonehead, la stupidité des lettres des fans et son incapacité aujourd'hui d'envisager une tournée. Tout se passait comme si, maintenant qu'il était riche, vraiment riche, il ne savait plus quoi faire de son temps. Voilà peut-être pourquoi il aidait des groupes musicaux naissants, comme celui à qui il donnait un coup de main en ce moment à Montréal.

— Je te dérange dans ton travail et, en plus, je te fais chier avec mes angoisses.

Il a ri pour se faire pardonner. Antoine a ri avec lui.

— Et toi? a demandé Colin. Où en es-tu avec le projet Victoria?

Antoine ne se souvenait plus exactement de ce qu'il lui avait révélé du projet. Normalement, il n'en commentait les développements qu'à Johnny et à Nayla.

— J'avance à pas de tortue, mais j'avance. C'est à la fois exaltant et humiliant.

Antoine n'a eu d'autre choix que de l'inviter à se déchausser. Colin l'a suivi dans le long corridor où régnait une pénombre froide. Sur le seuil, devant l'obscurité qui distillait une odeur d'encens, Colin a hésité avant de lui emboîter le pas. Comme tous le faisaient la première fois devant les rideaux de pluie qui leur caressaient le visage au beau milieu de la pièce, il a eu un geste de recul. Antoine s'est installé devant l'écran, a mis de côté ses notes et ses lectures sur l'hédonisme, et lui a fait signe de s'approcher.

Le projet Victoria occupait ses nuits depuis bientôt quatre ans. Il aimait dire qu'il visait l'œuvre suprême, qu'il était à la recherche d'une femme qu'il ne connaissait pas encore. Il était convaincu qu'un jour — grâce à un logiciel qu'il avait mis au point et qui lui permettait de créer des femmes en réunissant différents traits cueillis çà et là — il tomberait sur la femme en question et, de manière intuitive, il le saurait.

Quand Colin a vu apparaître dans un coin de la pièce la silhouette de Victoria, vêtue d'une tunique noire, la tête à la hauteur du plafond, comme si elle faisait de la lévitation, et qu'il a assisté, en accéléré, à toutes ses transformations, laissant croire qu'elle vieillissait à vue d'œil, il a laissé échapper tout bas :

— C'est fantastique…

Antoine s'en est alors voulu de l'avoir fait pénétrer dans la chambre noire : il savait que cette remarque prévisible, même si elle était sincère, allait l'empêcher de travailler pendant au moins une semaine.

3

JOHNNY LA revoyait assise sur ce même canapé du Valmont où il venait de prendre place à côté d'elle, exactement au même endroit, les joues roses à cause du froid qu'elle venait de quitter, les jambes croisées, les cuisses se fondant l'une dans l'autre, les mains auréolées d'une lueur qui rendait ses gestes plus lents, mystérieux. Cette Nayla d'antan, qui dévoilait avec parcimonie son sourire ingénu, l'éclat noir de ses yeux, la blancheur de son front de petite fille appliquée et impétueuse, avait disparu, s'était peut-être perdue un jour derrière une porte. Il cherchait vainement, sous le costume de Jeanne d'Arc qu'elle portait en ce moment, une pose, un regard, un tic de cette Nayla d'autrefois, dont le charme et l'humanité pouvaient illuminer une pièce entière. La Nayla d'aujourd'hui, avec son arrogance et son effronterie, était en train d'effacer, de rendre impossible la Nayla qui naguère s'émerveillait devant un nourrisson contemplatif ou le passage au ralenti de cumulus moutonneux.

Il revenait beaucoup en pensée (et dans ses promenades) aux rues du Chinatown où, à quelques minutes à pied de son appartement de Greenwich Village, une vanne s'était ouverte en lui, le laissant émerveillé, là où, les yeux baissés, terrifiés, le sourire triste, ils avaient été incapables de faire marche arrière, comprenant que l'emprise de l'amour serait longue, éprouvante, éclipsant de manière injuste toute autre préoccupation. Il revenait sans cesse à la petite chambre proprette, éclairée au néon, qu'un jeune homme lui ressemblant en tous points avait réglée à la dame corpulente et à moitié endormie derrière le comptoir. Aujourd'hui, il n'était plus tout à fait sûr que ce jeune homme et cette jeune femme au sweater blanc, au sourire de Joconde, aux yeux de geisha, c'étaient bel et bien eux. Le lit était vite devenu un radeau, les phares des voitures, des amers sur des îlots brumeux. Leur visage, leurs mains, leurs fesses, leurs hanches ombragées, le fil continu de leurs pensées, leur peur fondamentale, la peur de mourir, de ne pas mourir près de l'autre, tout cela, il y pensait encore, mais il changeait les faits, attribuant à Nayla des paroles qu'elle n'avait jamais prononcées, de manière à hisser la scène au premier rang de la catégorie des « beaux souvenirs ».

Autour d'eux, des danseuses de carnaval, des Elvis Presley, des Mao Zedong, des ballerines, des vampires, des pirates et des religieuses, allaient et venaient, sûrs de leur effet, convaincus d'être dans la plus réussie des célébrations d'halloween, au milieu des tables et des objets hétéroclites. Antoine, dans une tunique de Jésus-Christ, s'est avancé vers eux, a posé les coudes sur les cuisses, une grimace sur les lèvres, comme si la bière le dégoûtait, et Johnny a deviné où les conduirait le préambule qu'il s'apprêtait à leur servir. Pendant ce temps, Nayla évitait de croiser le regard de Johnny ; elle repérait les beaux gars, évaluait leur cul, leur profil, leur degré de lâcheté.

Visiblement, à mesure qu'Antoine s'expliquait, il cherchait à se persuader lui-même de la valeur de ses propos. Il a longuement parlé d'authenticité et d'éthique, plus particulièrement de responsabilité civique, éclatant de rire par trois fois pour signifier qu'il n'était ni réactionnaire ni nostalgique. Depuis peu, il lisait beaucoup les philosophes de l'Antiquité grecque, et ses lectures le ramenaient à Nayla et Johnny et à leur nouvelle collaboration avec l'agence. Il les prévenait : en s'enfonçant dans l'hédonisme et le cynisme, états d'esprit vieux comme le monde, bien d'autres y avaient laissé leur peau. Il a marqué une pause, a réprimé un soupir et, en gesticulant, a reconnu qu'il ne savait trop que penser de leur gagne-pain. Voilà, c'était dit, libre à Nayla maintenant de le ridiculiser, a-t-il ajouté, comme pour se prémunir contre une charge éventuelle. Pour finir, sur le ton de celui qui commente le temps qu'il fait, il a décrit la visite impromptue de Colin chez lui.

Il s'est renversé contre le dossier du fauteuil pour observer, avec une attention trop soudaine pour être crédible, les silhouettes sur la piste de danse qui, sous les assauts du stroboscope, prenaient des allures de jarrets de viande congelés.

Nayla a durci les traits pour faire oublier Jeanne d'Arc et créer une aura de silence autour d'eux. Johnny a voulu prétexter un rendez-vous, du travail, n'importe quoi, mais la voix douce de Nayla lui a fait tourner la tête. Ses mots esquissaient des lignes droites, parallèles, qui peu à peu ont formé une perspective tournante, une avenue, le plan d'un faubourg, tandis que l'odeur diluée de la mer montait comme un brouillard vers le sud de Nantes. Dans le voisinage d'un château encerclé par une grille noire, construit au bord de l'Erdre, vivait une petite fille aux longs cheveux noirs — c'était elle, bien sûr, mais elle ne l'a pas avoué. Elle passait tous les jours devant ce château, d'où sortaient des jeunes filles en robe. Bien des années plus tard, cette petite fille devenue jeune femme, puis femme, mannequin de profession — comme on lui avait toujours dit qu'elle était belle, elle avait fini par le croire —, s'est aperçue que son goût quasi maladif pour la réussite avait sans doute pris naissance quand elle épiait, rêveuse, ces pins, ces arbustes, cette orgie de fleurs, qui voilaient les tours en pierre du château.

— D'accord, je fais un job ingrat, a-t-elle dit. Mais tu sais comment ils l'ont amassée leur fortune, les gens de ce château ? C'est cliché, désolant, mais vrai... En faisant de la traite des nègres. Qui est pire, dis-moi ? Qui a moins de principes ? Le monde nous offre-t-il la possibilité d'être autre chose que des criminels, des voyous, des putes, des opportunistes ou des profiteurs ? Vois-tu, la morale que tu invoques, ta fameuse « responsabilité civique », ce ne sont ni plus ni moins que des instruments d'asservissement pour ceux qui détiennent le pouvoir.

Elle a fait semblant de se lever et elle a ajouté en fixant Antoine :

— Et si j'avais su que tu nous les casserais avec ta morale de quatre sous, je me serais abstenue de prendre comme cible une de tes connaissances.

N'osant pas sourire, Antoine a tambouriné sur le bras du fauteuil, et Johnny s'est entendu dire :

— J'irai plus loin. La vie est un jeu. Demain, un piano *peut* me tomber sur la tête. Ne riez pas, cela peut arriver. Demain, il se pourrait que je sois contraint de tuer. Il se pourrait que je tombe amoureux, follement amoureux. Il se pourrait que je me noie. Cela est possible, mais comment le prévoir ? Tout nous échappe, les mots déjà mâchés qui sortent de ma bouche, mes désirs. Que peut-on faire dans ces circonstances ? Jouer, jouer encore, décider sur le coup, en sachant qu'établir des principes a priori est une lamentable illusion.

Nayla a eu un rire narquois, a secoué la tête et s'est enfermée dans un mutisme hautain. Johnny a continué :

— Dites-vous bien que, malgré un certain manque de repères, il est faux de croire que nous versons dans l'amoralité ou le nihilisme. C'est d'ailleurs ce qui me donne du courage. On finit toujours par agir selon les circonstances, en inventant chaque fois une nouvelle morale dans une réévaluation perpétuelle. Le problème, c'est que cette réévaluation n'a rien de rassurant; au contraire, elle nous enferme dans une angoisse également perpétuelle... Mais bon, ce n'est sans doute pas l'endroit le plus approprié pour avoir cette discussion. Allez, aujourd'hui, c'est moi qui paie.

Sans se faire prier, ils ont suivi Johnny jusqu'à la file d'attente devant l'homme sans visage, tout de gris vêtu. Quand leur tour est arrivé, l'homme a ouvert la porte donnant sur un gouffre de ténèbres conduisant à la pièce baignée de lumière blanche. En entrouvrant les paupières, Johnny a aperçu au loin une estancia à la toiture de tuiles, engoncée au milieu des collines, bordée de corrals en pente, dont la cheminée exhalait une vapeur bleuâtre et taquine. Les yeux illuminés, Nayla s'est avancée vers lui pour passer les bras autour de ses épaules, soulevée par la seule force d'une gaieté contagieuse. Johnny a poussé un cri qui s'est cogné contre l'horizon, et les Andes se sont dressées d'un seul coup. Oh-hé-oh-hé, a fait Antoine pour donner vie à quatre huasos en selle qui, sous la pluie vertigineuse, le regard oblique, les éperons de bronze, les gourdes en peau de vache, paradaient au trot. Les Mapuches au loin, les visages ronds et aplatis, les traits creusés par un destin impitoyable, la vieille qui, un châle sur la tête, balayait le seuil d'une porte, les chiens hardis, la langue pendante, qui filaient droit vers lui, tout cela avait l'aspect irréel d'un négatif, la facticité d'une publicité. Quand Nayla a déboutonné son chemisier et dégrafé son soutien-gorge noir, un vent sec a chassé l'averse, une avalanche de sable aurifère s'est affaissée sur la cordillère, le ciel s'est enorgueilli d'un bleu éclatant. Antoine s'est assis à l'indienne à même le sol et, au moment où il s'étendait sur le dos, la figure béate comme sous l'effet d'une drogue douce, il a éclaté de rire en voyant le gazon devenir jaune, se couvrir d'une poussière biblique. Une bosse de dromadaire a poussé sur le dos des bœufs, quelques mouettes, dont la trajectoire dessinait des 8, virevoltaient au-dessus de leurs têtes, et la Méditerranée s'est étendue à son aise sur les collines escarpées. Les immeubles blancs, inégaux, penchés, de Tanger, la ville natale de Nayla, recouvraient en accéléré le flanc du mont surplombant le port, comme un escalier vers le firmament, tandis que des eucalyptus, coincés entre des oliviers et des téléphones publics, subsistaient ici et là. Johnny et Nayla se regardaient dans les yeux, sans se toucher, quelque peu ivres, incrédules, indifférents aux mutations du paysage. Il a passé une main derrière la nuque de Nayla, a avancé ses lèvres vers son visage, en se demandant, comme il se le demandait toujours, ce que produisait en eux cette foutue machine pour leur permettre de se retrouver de la sorte. Au moment où il levait les bras pour retirer son t-shirt, au moment où Nayla s'agenouillait devant lui pour caresser de la joue son sous-vêtement, les huasos et Antoine chevauchaient des ânes et des dromadaires, accompagnés de femmes voilées, sur fond de crépuscule chassant le jour.

4

IL FAISAIT frais malgré le soleil, les érables du parc Lafontaine formaient une voûte chatoyante, multicolore. Nayla avançait sur le trottoir, les yeux voilés par une brume dormante, pendant que les feuilles jaunes ou orange, soulevées par la brise, reprenaient vie comme si le temps revenait sur ses pas. Engourdie, elle s'est mise à courir pour emplir ses poumons, s'est concentrée sur sa respiration qui allait s'accélérant. Des automobilistes ont baissé leur vitre, le regard salace, pour klaxonner et lui souffler des baisers. Elle les a ignorés.

Elle se trouvait dans une île cernée par des crocodiles dont on ne voyait que les yeux, elle était un serin équilibriste qui faisait tenir sur son bec un aéroplane, elle était une vieille qu'on poussait, bâillonnée, les yeux bandés, les mains nouées, vers la potence… Plus tôt, comme elle s'essuyait les cheveux en sortant de la douche, elle avait aperçu Mark, complètement sonné par une autre soirée de fumée langoureuse, d'attouchements trompeurs, de propos à double sens, qui dormait la bouche ouverte, sur les draps, le dos et les fesses zébrés de marques pourpres, comme placées là par un habile coup de crayon. Jusqu'où iraient-ils ? Après trois nuits passées ensemble, il lui témoignait une confiance aveugle et pestait contre sa propre inexpérience. Mais la relation s'enlisait déjà dans la routine, les échanges et les étreintes n'avaient plus aucune saveur. Le plus pénible consistait à subir les confidences sur son adolescence, où perçait une glorification irritante de la camaraderie entre hommes.

Elle a emprunté la rue Saint-Denis et elle a aperçu l'homme à la casquette, qui l'épiait derrière la vitre d'une Jaguar où se reflétaient des branches dépouillées. Sur le coup, elle a cru qu'il s'agissait d'un détraqué, d'un amateur de magazines de mode, cherchant à passer des pages glacées au monde réel, tactile, où l'on pouvait étreindre et pétrir. Elle a détourné son visage pour le chasser de son esprit, mais, quand elle l'a de nouveau repéré, dans une cabine téléphonique cette fois, qui se présentait de dos, le coude posé sur l'appareil, le combiné collé à l'oreille, elle a reconnu cette allure inimitable de décontraction forcée. Elle a envoyé un salut de la main à des filles qui l'interpellaient à une terrasse, bien qu'elle ne se rappelât aucun visage et aucun prénom, et elle a obéi à ses talons, réguliers comme une pendule, qui l'encourageaient à presser le pas.

Elle est entrée dans une confiserie et s'est glissée

derrière un étalage de réglisse noire, laissant le temps s'écouler pour mettre à l'épreuve sa patience, se demandant pourquoi l'homme à la Jaguar avait tardé à se manifester car, d'ordinaire, pavloviens au possible, les gars téléphonaient à l'agence le lendemain d'une première rencontre, ou la filaient la nuit même où elle « terrorisait le hamster » avec leur meilleur ami, selon l'expression de Johnny. Elle est ressortie, a enjambé avec agilité une flaque d'eau. Roide, les bras croisés, tout au bout de l'allée, il exhibait une figure blême, une lueur narquoise entre les cils. Elle a marché vers lui, décidée à l'ignorer et à le contourner, pendant qu'une douleur traversait sa nuque comme une décharge électrique. Les soubresauts de l'ezquétéré contaminaient ses pensées : la transmission se perdait, des rayons lumineux ont traversé à l'horizontale, puis en diagonale, son champ de vision : image mal cadrée de Honda et de Volkswagen garées, sur fond de ciel pâle. Elle a entendu la voix grave de Colin prononcer son prénom, et elle s'est immobilisée sans se retourner : combien de fois avait-elle joué cette scène ? Combien de fois l'avait-elle passée en revue mentalement ?

— On se connaît ? a-t-elle demandé.

Une grimace ambiguë aux lèvres, il lui a écrabouillé le bras. Elle a entendu le crépitement d'un court-circuit, comme si les fusibles en elle avaient sauté. Elle a fermé les yeux, a senti son cœur battre à grands coups : c'est moi qui te tiens, mon gars ! D'une voix posée, elle a dit :

— Lâchez-moi ou je crie.

— Cinq minutes, a-t-il fait en lui libérant le bras. C'est tout ce que je te demande.

— Vous accostez souvent les filles dans la rue ?

— On s'est rencontrés dans un bar à Londres, il y a un peu plus d'une semaine. Tu es partie avec Mark, un ami à moi. Tu viens d'ailleurs de quitter un appartement où il dort encore.

Le visage penché, il exhibait le look du dandy rebelle et meurtri.

— Vous me suivez ?

Il a eu un rire argentin, peu crédible, et a passé un doigt sur les commissures de ses lèvres.

— Ah oui ! s'est-elle écriée. Refaites ça pour voir. Ça y est, votre tête me revient.

Il montrait ses dents comme s'il riait tout bas.

— Viens, a-t-il dit au bout d'un moment, en la prenant par la taille.

D'un geste lent, elle s'est dégagée, le pan de son imperméable a dessiné une demi-lune joyeuse. Sur une vitrine de dessous en dentelle, le reflet de Colin regardait vers la chaussée ; il cherchait visiblement à contenir les dérapages de son désir. Des décharges électriques ont de nouveau fusé, elle a fermé les yeux comme pour éviter des tirs en rafale : la tête de Colin, tantôt d'un gris bleuté, tantôt d'un violet noir, claquait des dents, rayée de lignes parasitaires.

— Pourquoi t'intéresses-tu à Mark ?

Le pire, a-t-elle pensé, c'est qu'il est convaincu qu'il n'est ni vaniteux ni condescendant.

— Vous jouez au détective, c'est ça ?

— Tu as toujours réponse à tout, hein? Tu fais quoi dans la vie quand tu ne séduis pas des mannequins?

Se dédoublant sans peine, elle se voyait distinctement, sans friture cette fois, lui assener au ralenti un crochet du droit à la figure: il faisait une grimace d'horreur, fléchissait les genoux, maladroit, atterrissait en catastrophe sur le sol, le derrière du crâne d'abord, puis une épaule, un coude, une paume qui tentait de sauver les meubles, mais c'était trop tard, le reste du corps rebondissait contre le ciment. Revigorée par son coup de poing imaginaire, Nayla lui a tapoté la joue, sachant qu'il soutiendrait son regard.

Une famille de banlieusards, tous en bermudas et en sandales de marin en plein automne, le front soucieux, a fait un détour exagéré pour les esquiver.

— Il paraît que tu aimes beaucoup l'amour, a-t-il hasardé.

— C'est possible. Vous n'en saurez jamais rien.

— T'es complètement cinglée. Tes manigances et tout... Écoute, je ne m'intéresse pas à toi. T'es pas mon style. C'est clair?

Elle lui a ri au nez.

— Vous, vous êtes aussi excitant que des biscuits et un verre de lait. Foutez le camp, je n'aime pas les cervelles d'oiseau.

— Tu aimes les hommes comme Mark, je suppose? a-t-il lancé avant d'éclater d'un rire triomphant.

Elle s'est éloignée à grandes enjambées, le parfum d'une passante s'est mêlée au rire sardonique que Colin prolongeait artificiellement. Elle a marché, la tête basse, pour ne se retourner qu'au coin de la rue : cloué au même endroit, les mains dans les poches, Colin disparaissait derrière les piétons ; aussi, le brouillage visuel, sorte de blancs d'œufs en neige, de fourmilière renversée, s'interposait de plus en plus. Il se croyait le plus malin, tentait de lui soutirer de l'information. Mais qui aurait pu vendre la mèche, mis à part Johnny, Antoine et les cadres de l'agence ? Qui ? Elle a haussé les épaules avant de traverser la chaussée au pas de course.

LE FEUTRE lui voilant un œil, un coude posé sur le comptoir, Johnny montrait son profil à Geronimo — l'Uruguayen bedonnant, coiffé d'un béret basque, une coupe de vin à la main, un torchon dans l'autre, le dos tourné au miroir embué —, lequel décrivait, en ne lui épargnant aucun détail, comment, dans son dernier rêve, comme il était resté assis trop longtemps sur une chaise en bois, ses jambes avaient pris la teinte et la forme à la fois dure et lisse des pattes de la chaise. Du fond de la salle, surgissant comme un vent chaud, la voix de Gloria a tonné : « Hé, hé, attention ! Ton rêve ressemble un peu trop à un poème de Neruda, le vieux ! »

Geronimo n'a pas rouspété, il s'est contenté de fixer droit devant la lumière d'un gris vif, rue des Lombards. Au moment où un client a voulu payer, il a longé le comptoir et, quand le tiroir-caisse lui est entré dans le ventre en tintant comme un piano désaccordé, il a commenté d'une voix absente, comme si c'était un autre qui parlait à sa place, les dernières nouvelles en provenance du cône Sud : les autorités avaient trouvé des charniers à deux heures de route au sud de Montevideo, les côtes des cadavres ressemblaient à des épaves, la puanteur étendait son domaine à des kilomètres à la ronde, ce qui faisait dire aux paysans de la région que s'abattait sur eux l'haleine de la mort.

C'étaient les habitués du café-bar Sur. Il y avait là Gerardo — le meilleur ami de Juan, l'oncle défunt de Johnny, peintre qui de son vivant se faisait un devoir de ressusciter ici même le Santiago mythique, populaire et pluvieux de son enfance —, toujours installé à la même table tout au fond, entêté dans son mutisme depuis qu'il était veuf, les yeux rivés sur sa coupe de rouge, nourrissant les pigeons qui entraient par les longues fenêtres aux battants agités par le vent, et qui se penchaient sur le bord de son feutre, sur ses épaules, sur la table ronde. Il y avait aussi Gloria, l'Argentine toujours habillée en homme, car elle préférait mener que de se faire mener quand elle dansait le tango. Johnny avait vite compris qu'il aimait la compagnie des amis de son oncle, leur familiarité raffinée, mais qu'il ne voulait pas finir comme eux, figés comme des statues tristes.

L'air de *El día que me quieras* a meublé le silence, et les visages ont retrouvé leur masque de nostalgie, leur obstination empesée, au milieu des candélabres poussiéreux, sur fond de tapisserie mauve. Gaetano, le joueur de bandonéon, a pris pendant le crescendo de *Volver* une pose songeuse dont il n'est plus ressorti, alors que Guillermo, le guitariste qui, ce jour-là, s'était levé de mauvais poil, se curait les ongles avec un canif, murmurait des jurons portègnes et attendait le couplet où la guitare viendrait rappeler que les amours contrariées avaient leur lot d'exaltations doucereuses.

Quand Johnny a aperçu, derrière la silhouette d'Alek, les mèches dorées qui cachaient l'œil diaphane de Caroline, il riait d'une blague de Gloria sur des carabiniers, et il s'est vu obligé d'amplifier son rire. Il s'est avancé vers les filles et, les pommettes hautes, le sourire entendu, Alek s'est confondue en courbettes pour les présentations. Johnny a déposé un baiser moelleux, un tantinet déplacé, sur la joue parfumée de Caroline. Geronimo a tapé des mains, allons, allons, le cours allait commencer.

Le murmure des danseurs, au bord de la piste, faisait un bruit de papier froissé. Bientôt, s'échappant du bandonéon, une suite de notes a empli la salle. Les couples se sont dispersés sur la piste pour répéter, dignes, gauches, gracieux, timides, c'était selon, des pas fougueux ou alambiqués.

Sans lui laisser le temps de réagir, Johnny a agrippé le poignet de Caroline, a ignoré la petite résistance, l'irritation mal dominée qui la trahissaient. Son visage blanc, ovale, presque invisible dans sa perfection, était légèrement incliné, comme pour signifier une prudence vertueuse. Au bout d'un moment, les yeux de Caroline n'arrivaient plus à dissimuler une expression d'amusement moqueur. Il exécutait le pas de base avec la solennité d'un caïd, s'arrêtait pour qu'elle l'imite, et soupirait bruyamment après ses tentatives avortées. Sans maugréer, entrant tant bien que mal dans le rôle de l'élève consciencieuse qu'il lui imposait, elle le regardait, sans ciller, fragmenter les coups de talon, les glissements de semelle, les rotations du buste, la main posée sur l'épaule de Johnny, figée comme une tarentule prête à piquer. Parfois, surtout quand il la renversait, il la surprenait qui contemplait ses cheveux bleu roi sous l'éclairage ambré, comme si elle s'habituait, quelque peu étonnée, à sa peau mate et à ses traits. Bizarre, a-t-il pensé, bien que son visage rougissant jusqu'aux yeux de temps à autre la rendît plus humaine, elle n'éveillait en lui aucune poussée de désir.

Pendant ce temps, aux bras de Guillermo, Alek tournoyait autour d'eux avec le naturel d'une danseuse aguerrie. Gloria a immiscé sa face de lune entre eux, elle voulait danser avec la « petite », et Johnny en a profité pour observer le travail des jambes de Caroline. Elle est revenue d'elle-même dans ses bras, étonnamment détendue, presque joyeuse.

— Je suis tombée sur des photos de toi, a-t-elle dit au bout d'un moment. Tu posais en imper dans un hangar désaffecté. Je ne sais pas si tu te souviens...

Il a lentement hoché la tête pour dire oui, les paupières mi-closes.

— Je t'ai trouvé impressionnant. Beaucoup d'assurance, très professionnel. Sans blague. Maintenant que je commence à m'y connaître, j'apprécie davantage le travail des autres.

— Je ne fais presque plus de photos.

— C'est vrai ?

Il a souri à Alek par-dessus l'épaule de Caroline, a dit de la voix blessée de celui qui ne veut plus se souvenir :

— À la longue, ça n'a aucun sens tout ça... Un jour, si on se connaît mieux, je t'expliquerai.

— Tu fais quoi là ? Tu travailles toujours pour l'agence ?

— Je m'occupe d'affaires administratives. Je m'occupe d'un dossier de la plus haute importance, d'un dossier que l'agence préfère garder secret.

Un air d'inquisition ingénue est apparu sur la figure de Caroline.

— On m'a dit que tu avais couché avec plus de deux mille filles.

Elle a avancé la tête vers lui avant de donner libre cours au clapotis nerveux de son rire.

D'ordinaire, les jeunes mannequins se tenaient sur leurs gardes, en raison des potins sordides qui circulaient depuis la deuxième moitié des années 80 sur les excès du milieu — viols collectifs sur une terrasse d'hôtel, consommation forcée de drogues dures, maladies transmises sexuellement. Les mannequins s'informaient d'emblée sur tout individu qui les draguait ou les invitait à une soirée. Sur son compte, certains en arrivaient à ce chiffre rond, *deux mille,* qui sonnait comme un exploit et lui collait cette étiquette de gigolo.

— Hé, a-t-il dit, c'est un interrogatoire ?

Elle le regardait droit dans les yeux. Elle a souri avec naturel :

— Je t'embête ? Pardonne-moi.

Il est resté figé, avec l'impression d'être un clown pathétique. Il savait pourtant que rien n'y ferait, qu'il déflorerait les sympathiques illusions amoureuses de cette jeune fille, laquelle rêvait, sans oser se l'avouer, de participer à une orgie hardie et de se livrer aux plaisirs capiteux des pilules hallucinogènes. Il irait jusqu'au bout, car tel était son destin, s'est-il dit, ironique.

Plus tard, comme ils étaient à l'écart, protégés par la pénombre, il s'est arrêté de danser :

— Regarde le joueur de bandonéon. Ça vaut la peine.

L'instrument, qui s'étirait et se contractait comme une chenille, a péniblement gravi la pente vers la note la plus aiguë. Alors, le vent a ouvert les fenêtres avec fracas ; des spectres ont remué les rideaux, décoiffé les musiciens, fait voler les partitions.

— On oublie trop souvent de le dire : le vent est un grand mélomane.

Elle a souri, incrédule, à l'orée de la fascination, ses yeux allant des musiciens aux pigeons qui s'envolaient par les fenêtres. Il a fixé ses dents bien alignées pour se dire, et ce n'était pas nécessairement une pensée réjouissante, que sa mission serait sans doute plus facile qu'il ne l'avait d'abord cru. Avec un peu de chance et quelques comprimés d'ezquétéré, il pourrait peut-être même brûler des étapes. Au centre de la piste, il s'est pressé contre elle pour qu'elle sente la finesse androgyne de ses pectoraux et combien elle le faisait peu bander.

5

LE VISAGE cru comme la lumière d'une ampoule nue, les cheveux en bataille, Nayla le vrillait du regard, la main contre le mur. On aurait dit qu'elle cherchait à lui communiquer la rancœur qu'elle avait accumulée en elle, mais aussi et surtout son incapacité de manifester sa douleur. Une douche de compassion est tombée sur Antoine, mais il s'est rappelé comme elle bouillait d'exaspération quand il s'apitoyait sur son sort. Il s'est senti ridicule de lui faire signe d'entrer dans l'appartement qu'elle lui prêtait pour ses séjours à Paris, et s'est demandé si la mine déconfite de Nayla n'était pas le produit d'une veillée constellée de petits comprimés multicolores.

Sans se déchausser, elle s'est allongée sur le canapé du salon. Antoine a cherché du regard, par-dessus les toits, la statue de Napoléon, place Vendôme, tout en revoyant Nayla qui claquait des dents, Nayla qui tremblotait sur un banc public, le cou engoncé dans les épaules, donnant des coups de pied au gravier pour que le soleil se décide à percer les nuages, Nayla de dos, le chemisier blanc contrastant avec l'obscurité humide d'une fête, portant un visage d'absence et de terreur, un visage effacé par la sueur de l'instabilité. Maintenant, elle fixait la mine paisible des statuettes du salon, dont les silhouettes frêles se penchaient sur elle. Elle s'est relevée sur le coude, une étincelle noire a brillé au fond de ses prunelles, le regard obstinément posé sur lui, comme si elle cherchait à projeter loin, d'une chiquenaude, leur passé commun, leur amitié, cette invention trompeuse, abstraite.

— T'as parlé à Colin récemment ?... Bordel, mais qu'est-ce que tu lui as dit sur moi ? Qu'est-ce que t'es allé...

La colère l'a étouffée, a séché la ligne de salive sur la langue. Visiblement, elle cherchait à le blesser, à couper les ponts. Tant de fois il avait voulu la prendre de force, la sortir de ce monde qui rendait sa figure exsangue. Ah, Nayla, si seulement elle savait comme il rêvait souvent de ce jour où ils prendraient tous deux l'avion pour une destination paisible, où elle serait à l'abri de l'oppression de la nuit, du rouge écarlate qui la rendait malade et qu'elle disait apercevoir sur les murs des bars, sur les draps des hôtels cinq étoiles, dans les publicités de parfum des magazines, dans les ruelles étroites et mouillées de ses rêves, tandis que du haut d'un minaret lui parvenait comme pour la réveiller l'appel à la prière du muezzin.

— L'ezquétéré est en train de te rendre complètement parano, a dit Antoine. Tu te rends compte ?

Les yeux de Nayla sont devenus mous, gélatineux comme des huîtres. Son cellulaire, dans la poche de sa veste croisée, a vibré à sa hanche. Sans répondre, elle l'a éteint et l'a lancé contre le mur. Il y a eu un bruit décevant, l'avant-goût d'une explosion qui n'est jamais venue. Étendue, un pied par terre, une main derrière la tête, l'autre pendant hors du canapé, elle tremblait. De reniflements en halètements, de pleurnicheries en sanglots, elle restait immobile, horrifiée par l'immensité de la plaine défrichée qui s'étendait devant elle. Peut-être navigue-t-elle dans une pirogue ? a pensé Antoine, peut-être descend-elle un fleuve rapide ? Il aurait voulu descendre l'Amazone avec elle, lui faire comprendre que sa fascination pour elle renvoyait à des œuvres de fiction, à des mythes, lui faire comprendre son indéfectible confiance en elle. Il le savait, derrière son masque monstrueux d'égoïsme et d'orgueil, se cachait une possibilité de vie foisonnante.

Il a pris la clé de la voiture de Nayla, elle n'a pas protesté.

La circulation était étonnamment fluide. Comme ils longeaient une Seine aux flots de papier, bordée d'immeubles en carton-pâte, de touristes en plastique, des blocs d'habitations beiges voguaient à droite. Quand, après bien des détours, la voiture s'est immobilisée devant le génie de la Liberté, comme soulevée par le flot de lumière aux teintes d'ardoise, Antoine a cru un instant que les avenues et les boulevards allaient être engloutis.

Au début, Nayla émettait des bruits semblables à une pluie continue. Puis sa voix d'outre-tombe a débité des mots furieux, lancés comme des cailloux contre l'horizon, mais qui n'avaient ni queue ni tête. Des phrases sourdes, des arguments d'apocalypse, des « à quoi bon ? », ont alors fusé. De toute façon, disait-elle, toutes les vies se valaient, et toute initiative mourait, contenant en germe, dès la naissance, le cancer de l'échec. La mort nous filait comme une ombre, finissait toujours par nous rattraper. Ne se souvenait-il pas de telle amie victime d'une crise cardiaque pendant ses vacances en Irlande, ou de tel styliste trouvé mort dans son jacuzzi ? Comment pouvait-elle avoir confiance en quoi que ce soit ? Et le suicide, eh bien le suicide n'avait jamais été une possibilité, et c'était bien là son drame ! Lâcheté ? Inconstance de ses états d'âme ? Dépendance à la chimie imprévisible de son corps ? Elle a eu un petit rire, le visage tourné vers le pare-brise, les ponts surmontés de statues, les tunnels à la lumière jaune urine, les jardins sans fleur évoquant des tranchées désertes.

Antoine l'écoutait en silence, approuvant de la tête chacune de ses sentences. Il tournait au gré de son humeur, prenait une avenue pour le plaisir de la perspective, pour revoir la statue d'un peintre ou d'un écrivain. Il a piqué vers le sud, a longé la grille du cimetière Montparnasse et est passé devant une porte vert bouteille, coincée entre une pharmacie et une boulangerie, là où avait résidé Nayla à son arrivée à Paris, du temps où sa carrière de top model promettait encore d'agenouiller à ses pieds le monde de la mode, du temps où elle dormait onze heures d'affilée, ne buvait que de l'eau et mangeait sainement pour protéger sa peau. Antoine a fait marche arrière dans une rue où un camion-citerne bloquait le passage pour mettre le cap sur le nord et longer au ralenti, menacé par les klaxons impatients, des colonnes soutenant une façade néoclassique où, il le savait bien, Nayla et Johnny se donnaient rendez-vous les premiers mois de leur amour.

Au bois de Boulogne, la lumière a baissé d'un cran, les arbres ont resserré leur étreinte autour de la voiture. Celle-ci s'est garée d'elle-même sur la voie de service, juste avant une pente menant aux allées d'un jardin. Combien de mannequins avait-il conduits jusque-là ? Combien de fois était-il venu ici avec Nayla, dès que Johnny avait fait les présentations ? Les rugissements du moteur ont cessé d'un coup, un vent moribond se traînait au ras de l'herbe, cognait sans conviction sur le pare-brise. Les yeux violacés, les mèches raides, elle l'a étreint, en reniflant. Antoine s'est vu planer au-dessus d'un précipice froid, dont le fond était le plafond noir de la voiture. Le bruit de sa fermeture éclair a fait naître dans son esprit des étincelles. Au bout d'un moment, on a attrapé une oie par le cou. Effrayé, l'animal s'est raidi, a remué les ailes dans une agitation scandaleuse. Les doigts experts, osseux, froids, montaient et descendaient jusqu'à la base du cou blanc et lisse ; les reflets d'une bague en or souriaient par intermittence. Antoine a senti qu'on déboutonnait sa chemise, qu'on se frayait un chemin vers son torse, son entrejambe. Le trou noir l'aspirait ; toutes les demeures où il avait vécu ont été avalées par ce puits. Fenêtres à guillotine, portes de bois, des scènes entières de son enfance, ainsi que ses peines et ses joies, que personnifiaient des hommes en redingote et des femmes aux joues trop fardées, se sont engouffrés comme des odeurs dans cet abîme.

6

FRÔLANT NAYLA de manière de plus en plus insistante, l'hôtesse de l'air passait dans l'allée en tirant sur sa jupe. Quand elle se penchait sur elle pour lui tendre des écouteurs ou un formulaire de douane, elle posait deux doigts sur l'épaule de Nayla, clignait inutilement des yeux et balançait un peu le cul, tout en dévoilant le haut doré de ses seins tavelés. Chevelure châtain aux mèches platine, la quarantaine harassée, verres de contact d'un bleu ciel factice, visage traqué, surpris dans un instant de pure folie, elle avait toutefois un sourire dévastateur — et c'est à peu près tout ce qu'elle avait. Nayla lui retournait ses sourires en se demandant, avant de lui adresser la parole, qui elle incarnerait aujourd'hui, pourquoi pas, Barbara, californienne, monitrice d'aérobic, j'ai une prédilection pour les chats, Brahms, l'écologie et les ménages à trois. Elle a fermé les yeux, a caressé de sa joue de bas en haut les doigts de l'hôtesse pour ensuite les lécher en faisant un bruit de succion qui a fait tourner les têtes. Plus tard, quand l'avion a amorcé sa descente, l'hôtesse est revenue trois fois lui remplir son verre d'un mousseux acide, lui a fait la conversation en ramenant une mèche derrière l'oreille : elle n'avait pas pris de vacances depuis des années, elle travaillait décidément trop. Quand Nayla a suivi d'un doigt humide le contour des lèvres de son interlocutrice, cette dernière a rougi et a ravalé son sourire.

Au moment où Nayla franchissait la porte de l'avion, l'hôtesse lui a serré la main pour lui remettre un bout de papier avec ses coordonnées. Nayla l'a jeté dans la première poubelle croisée à l'aéroport. Bien sûr, elle aurait pu marcher vers elle, elle aurait pu glisser une main furtive entre ses cuisses et suivre, glaciale, les méandres des expressions qui se succéderaient sur son visage. Elle aurait pu lui enseigner l'art d'égrener le temps, mais la lâcheté lui avait toujours levé le cœur.

Le soleil de Milan pénétrait par les hautes fenêtres entrouvertes, étendait son domaine jusqu'au pied de Nayla, tandis que celle-ci, ne sachant trop pourquoi, incapable de se concentrer sur quoi que ce soit, attendait l'heure du défilé auquel prendrait part Johnny. Ensuite viendrait la réunion avec les patrons, tapisserie rose lombard, rideaux aux bordures dorées, raclements de gorge, blagues en guise d'entrée en matière, regards métalliques, suffisants, entendus, seraient de nouveau à l'honneur. Mais que faisait Johnny, bordel ? Se trouvait-il à la terrasse d'un café du quartier des Navigli, devant l'Italienne d'origine albanaise dont il s'amusait à comparer les aréoles à des marques laissées par une tasse de café ? Se baladait-il aux abords fleuris du lac Majeur, donnant le bras à Caroline, pour ensuite dans une chambre d'hôtel muer du tout au tout, passant d'une bonne humeur bon enfant à une mélancolie sentencieuse, comme il l'avait fait tant de fois avec elle au début de leur amour ? Il laissait alors entendre, dans la pénombre, que si le monde entier avait succombé aux plaisirs simplets de la fornication, lui préférait les étreintes et les caresses aux pistons graisseux de la pénétration. Bien sûr, plus tard, elle apercevrait ses yeux révulsés et comprendrait son subterfuge quand, en proie à une émotion étouffante, voulant le remercier de tant d'attentions, elle filerait vers le bas de son ventre pour lui montrer qu'elle abondait dans son sens, qu'ils formaient en effet un « couple d'exception ».

Elle s'est levée, a pris la clé de sa chambre et est montée à la terrasse de l'hôtel, d'où l'on dominait, à travers une nuée grisâtre, les toits zébrés d'antennes, les statues et les flèches du Duomo et, plus bas, à l'angle de la façade de ce qui semblait être une bijouterie, les trams qui se faufilaient miraculeusement entre les automobiles et les piétons, dans un bruit de ferraille et de câbles qui claquent. Accoudée à la balustrade, elle s'est souvenue avec netteté de ce jour où ils étaient tous deux encore au lit, vingt minutes avant le défilé, dans un hôtel plus fastueux que celui où elle se trouvait maintenant, ici même dans cette ville suffocante et hautaine, du temps que Johnny et elle, avec leur look exotique, attiraient comme des mouches les rédacteurs en chef des revues de mode. La mine catastrophée, les employés de l'agence allaient et venaient autour de leur lit, jonglant avec leur cellulaire, pendant que Johnny se faisait un devoir d'engueuler le personnel guindé de l'hôtel, se plaignait de la cuisine en faisant voler les couverts et réclamait des objets rares comme des charangos, des biwas et des sabliers médiévaux qu'un cadre supérieur de l'agence, un Finlandais irascible aux joues rose crevette, suant à grosses gouttes, toussant dans un mouchoir pour se défendre de l'air pollué, passait des journées entières à chercher chez les antiquaires, ce qui faisait rire Johnny à en perdre l'équilibre. Les patrons avaient beau lui témoigner leur mécontentement par des reproches tout en euphémismes, Johnny était au faîte de la gloire — la télévision japonaise le réclamait, les photographes en vogue se liaient d'amitié avec lui — et répétait à tout venant, entrevue sur entrevue, croyant encore à la force des mots, qu'il dénoncerait non sans jubilation le monde calculateur, opportuniste, stupide et fondamentalement ringard de la mode dans son prochain roman, car, avant d'être mannequin, il était un artiste, bordel de merde !

Il avait publié un premier roman, très court, où il n'avait pas versé, comme Nayla l'avait craint, dans l'ironie cynique en vogue. À sa surprise, ce roman, qui racontait l'histoire d'un jeune homme parti à la recherche de son frère cadet dans le désert d'Atacama, au nord du Chili, l'avait fortement impressionnée, elle qui, sincèrement, ne l'aurait pas cru capable d'accoucher d'un récit d'une telle intensité. À la fin, le héros et narrateur assistait, impuissant, à la décomposition morale et au suicide de son frère. Ce roman l'avait rapprochée de Johnny : il dévoilait une facette tragique qu'il s'efforçait d'enfouir et qu'elle admirait secrètement, de peur qu'il ne se serve contre elle un jour des compliments qu'elle lui aurait prodigués.

Et elle ? Pourquoi ses aspirations d'actrice n'avaient-elles jamais abouti ? Durant ses premières années comme mannequin, son objectif avait été d'amasser le plus d'argent possible pour tenter un retour au théâtre qui n'avait jamais eu lieu. Il est vrai, elle gérait ses finances comme un joueur compulsif. Et puis, elle ne s'était pas assez méfiée de la dépendance quasi maladive qu'engendrent un compte en banque bien garni, le luxe d'envoyer promener les emmerdeurs et les regards admiratifs dont Johnny et elle disaient se foutre mais qu'ils commentaient des heures durant sur le mode amusé. Un beau matin, dans un palace milanais dont le grand escalier se déversait dans le hall comme un torrent de marbre, après un peu moins de cinq années à bord du carrousel haletant de la jet-set, les patrons leur ont expliqué ce que l'on proposait aux mannequins dont la popularité baissait. Après bien des détours sur la « vision à long terme » de l'agence, la « nécessaire loyauté des grandes sociétés » et la fin annoncée du règne des « supermodels », de plus en plus déclassés par les vedettes de cinéma et de la musique populaire, ils leur ont suggéré de « poursuivre leur collaboration » en vue de « voir aux intérêts de l'agence », sachant fort bien que Johnny et elle accepteraient leur offre, comme des dizaines avant eux. Car, après tout, le job d'« accompagnateur » garantissait de « notables avantages ».

Depuis, elle n'avait fait qu'endurer un lot de soirées trop arrosées, de sourires gentiment lubriques, de peaux rosées et moites, de gifles qui anesthésient. Comment avait-elle fait pour repousser avec patience les envies de viol de ses proies ? Elle a soupiré en serrant les poings et a murmuré tout bas contre le vent : *que nous est-il arrivé, Johnny ?*

Quelques heures plus tard, elle a enfilé une robe de soirée noire, en évitant de croiser ses yeux dans les miroirs indiscrets de la chambre, pour descendre à la réception demander un taxi. Le soleil déclinait, les rues étaient noyées dans une incertitude bleu-orange. Elle a aperçu Johnny adossé à une colonne, les mains dans les poches de sa veste, le toupet lui sciant le front. Il a collé sa joue à la sienne, l'a couvée de ses yeux qui disaient de manière trop ostensible pour être vraie : « Tu restes la femme qui m'est la plus chère », et ils ont pénétré dans la grande salle glacée où Nino Cabucci — jeune styliste en vogue, oiseau de passage quant à elle — faisait parader des mannequins affublés de loques terreuses, semblables à celles des clochards de son Naples natal. Salves d'applaudissements chorégraphiés, flashs argentés, promiscuité froide sur fond de musique électronique, regards travaillés, tantôt assassins, tantôt charmeurs.

La nuit tombante jetait de l'ombre sur les larges pavés. Accompagnés d'autres mannequins, ils se sont rendus à pied à l'hôtel où les attendaient plusieurs cadres de l'agence. Jack Bonnanza, le grand manitou, vieux crabe, cheveux gris souris, le dos de ses mains tremblotantes constellé de taches brunes, un sourire factice apparaissant sur sa figure aux moments les plus inattendus, était là, mais il n'a pas soufflé mot. L'agence Scorpion, a déclaré le bras droit de Bonnanza, un maigre à la barbe finement taillée, était apatride, c'était connu. Pas de siège social, que des bureaux dans les grandes villes ainsi que, depuis peu, des centres de distribution de produits et de recrutement de mannequins dans les villes dites de second ordre. Au bout d'un moment, la voix s'est faite caverneuse, ouatée, et, le menton dans la main, Nayla a vu en pensée les battements de cils de Johnny, les perles noires de ses yeux posés sur le ventre bronzé de son Italienne, dont les seins lourds s'affaissaient, arrondis et lisses, comme des dunes sahariennes. Elle a vu un rayon de soleil gêner Johnny, l'obliger à fermer les yeux, et l'Italienne, mue par un élan maternel, a couvert ses joues de baisers. Enfin, tandis que la fille sautillait en riant, elle a deviné les rides provoquées par la grimace que faisait Johnny. Elle est revenue à elle comme le bras droit de Bonnanza se penchait sur la table, les doigts sur un bloc-notes :

— Les décisions prises l'an dernier ont porté leurs fruits. J'entends l'initiative d'assurer la mobilité de nos employés, de les disséminer dans des villes secondaires… L'agence rayonne, mais ce n'est pas fini : des fusions sont prévues. Jamais n'a-t-on autant jalousé nos réussites…

Au lieu de rentrer à l'hôtel, Johnny et elle ont flâné côte à côte dans la nuit étonnamment fraîche, interrompue de loin en loin par la lumière pâle des réverbères. Elle évitait de le regarder, avait la sensation d'être un spectre transparent qui s'ennuyait des plaisirs terrestres et tentait un retour parmi les mortels. Elle s'est interdit de le questionner sur son après-midi : elle ne mettrait pas le doigt dans cet engrenage prévisible. D'ailleurs, à quoi bon prendre Johnny par les épaules pour lui dire ses quatre vérités ? À quoi bon retourner le couteau dans la plaie ?

Johnny a marqué une halte. Le visage rayé d'ombre, il a considéré Nayla d'un air de P.D.G. qui, du haut d'une estrade, doit annoncer leur congédiement à des centaines d'employés rassemblés devant lui.

— Ça te dirait d'aller à Tanger ?

Elle a eu l'impression qu'on lui piquait les joues avec des épingles. Il se servait de sa ville natale pour lui quémander un peu d'indulgence. Ils en étaient là…

Elle aurait voulu s'enfoncer seule dans les rues profondes. Elle aurait voulu ne plus jamais le revoir, se libérer de ces images de corps en sueur enlacés, mille fois vues mais qui ne cessaient de l'aiguillonner. Elle aurait tout donné pour traverser le reste de sa vie sans éprouver ni sentir.

— D'accord, s'est-elle entendue dire. Mais il faut téléphoner à grand-mère. Elle préfère qu'on la prévienne quand on lui rend visite.

JOHNNY AIMAIT retrouver le ciel et les murs blancs de Tanger, la petite porte en bois à la peinture écaillée, identique à ses voisines, ainsi que la chambre au carrelage marron où les installait la grand-mère. Ici, comme il n'avait aucune responsabilité à assumer, les journées s'étendaient devant lui comme l'uniformité graveleuse de la plage jouxtant le port. Du coup il retrouvait le doux plaisir de flâner, se confiait plus facilement aux visages qui dissimulaient sous des barbes fortes des blessures physiques et morales.

Il en allait tout autrement pour Nayla, il le savait bien. Dans ce pays qu'elle avait quitté très jeune, elle devenait d'une sensibilité à fleur de peau, passant en quelques instants d'une joie intense à une irritation démesurée. Cela se produisait par exemple quand elle rencontrait dans les cafés des jeunes qui rêvaient à voix haute de pays aux trottoirs déserts, aux maisonnettes sans imagination, aux pelouses d'un vert vif et aux autoroutes bordées de réverbères bien alignés. Mais Johnny aimait Nayla en sol marocain : moins sur ses gardes, elle arrivait à s'émerveiller de l'humour d'un voisin, à chérir la tante qui était aux petits soins avec elle, à s'étonner de ses propres élans de solidarité, découvrant, aurait-on dit, de nouvelles couleurs à ajouter à la palette de sa personnalité.

L'après-midi même de leur arrivée, après une longue conversation à huis clos entre Nayla et sa grand-mère, alitée dans sa chambre, ils ont musardé dans les grandes artères quasi vides à cause du soleil et se sont finalement abrités dans la fraîcheur sentant bon l'amande d'une petite pâtisserie. Nayla a d'emblée installé une bonne humeur vraie avec la jeune femme qui, derrière le comptoir garni de desserts, se déplaçait avec une souplesse telle qu'elle semblait nue sous sa djellaba. Elle voulait acheter tous les gâteaux. Ils se sont assis sur le banc d'une place pour goûter ceux qu'ils avaient choisis, et pas une fois Johnny n'a pressenti qu'elle lui proposerait, comme elle avait l'habitude de le faire durant leur séjour dans cette ville, d'aller se recueillir sur la tombe de son père mort à Nantes, mais dont la dépouille avait été rapatriée.

Ils sont rentrés chez la grand-mère pour tenter, en vain, d'y faire une sieste et ne sont ressortis qu'en début de soirée, comme le soleil agonisait derrière une chaîne de collines arrondies. Trop habillés, attirant sur eux des regards tantôt étonnés, tantôt concupiscents, ils foulaient les pavés craquelés grouillant de monde, que bordaient, d'un côté, les cafés devant lesquels on faisait la queue et, de l'autre, des automobiles dont le gaz d'échappement faisait momentanément disparaître le véhicule derrière. Des hommes agenouillés, à la barbe tressée, se balançaient de haut en bas en émettant une note basse, continue, qui se mêlait aux rugissements des moteurs, aux bruits râpeux des conversations et aux odeurs pénétrantes d'agneau grillé.

Sur une passerelle, ils ont fait mine, en s'appuyant à la balustrade, d'admirer l'escalier des toits qui se déversait sur la frange sombre de la Méditerranée. Des hommes au visage osseux et aux yeux brillants n'ont pas tardé à les frôler, dans un désordre chorégraphié. Johnny a sans doute tendu trop de dirhams, une main aux ongles sales a froissé les billets en prenant la tangente, et a laissé tomber dans la paume de Johnny une boulette compacte de papier d'aluminium. Johnny s'est approché d'un vieux affalé qui, les jambes écartées, le visage embrasé d'un sourire béat, semblait se remémorer des souvenirs agréables. Il a désigné du doigt la longue pipe de bois du vieux et la lui a empruntée. Un filet de fumée s'est dressé, et Johnny a inspiré en excitant le kif. Nayla a fait de même sans quitter des yeux la Méditerranée, devant laquelle apparaissaient une à une, comme si un peintre retouchait le panorama d'un pinceau invisible, les lumières de la ville, frissons délicieux, appels timides. Des murmures amplifiés, des soupirs longs accompagnés de bruissements d'étoffe, les effleuraient. Johnny a pris conscience de la lenteur programmée des véhicules, du dédoublement des passants, des figures ensommeillées qui défilaient en évoquant des oncles, des amis, des professeurs, des amantes, et qui le ramenaient à des tranches oubliées de sa vie.

Suivi de Nayla, il s'est de nouveau fondu dans la foule, s'apercevant du temps qui s'écoulait entre son intention de faire une enjambée et l'enjambée même, pour se diriger vers un portail lourd, moyenâgeux, devant lequel se tenait un homme grand, des babouches jaunes aux pieds, dont les traits rappelaient curieusement l'homme vêtu de gris de la machine du Valmont. Une mélodie langoureuse s'élevait comme ils empruntaient une allée voûtée par le feuillage des amandiers en fleur et des citronniers aux fruits mûrs, et ce n'est qu'une fois assis devant son couvert que Johnny a reconnu le râbab et les luths arabes du Nouba Raml al Mâya, chant célébrant la lune parfaite du visage du Prophète. Nayla souriait d'un air étrange, emprunté, comme si elle n'avait plus prise sur ses expressions, promenait autour d'elle des regards apaisés : elle donnait l'impression de vouloir apprivoiser le clapotis moqueur de la fontaine, les ganses dorées des habits blancs des serveurs, les sourates sur les murs ombragés, la pénombre fraîche parant les bouilloires et les plateaux de bronze d'auréoles lunaires. En le regardant droit dans les yeux, ne quittant pas son sourire énigmatique, elle a dit d'une voix à peine audible qu'ils étaient des cadavres en décomposition avancée, que depuis quelque temps elle fronçait le nez quand elle songeait à eux. Le ton était dénué de rancœur, mais Johnny a levé l'index à l'intention du serveur debout près d'une colonne, pour faire diversion et leur permettre de repartir à zéro, sans quitter des yeux la main blanche de Nayla, posée sur la nappe immaculée comme la carcasse d'un poisson osseux. Tandis que les voix finissaient de s'extraire de leur sommeil profond, Johnny s'est demandé si Nayla, comme lui, se posait dix fois par jour la même question : *que s'était-il passé entre eux?*

Johnny a fait glisser un bras sur la nappe, sans toutefois toucher à la main de Nayla. Les grands yeux noirs de celle-ci, deux planètes dans un ciel blanc, son visage harmonieux et tout en rondeur, ses épaules frêles, lui rappelaient l'éblouissement premier, ce jour qu'il l'avait vue venir droit vers lui aux abords de ce lac dont il ne se souvenait plus du nom, drapée dans cette robe blanche de laine, quand il avait d'emblée deviné, transfiguré, craintif, la lave en fusion en elle. Elle a posé une main sur la sienne, il a senti ses doigts devenir tièdes. Le serveur s'est penché sur lui, il a murmuré sa commande, et le serveur est reparti d'un pas affecté de danseur classique. Que cherchait-elle ? Jouait-elle à être éprise de lui ? Maintenant, elle caressait le revers de sa main avec insistance, marquait les silences par des soupirs invraisemblables, haussait les épaules comme une diva devant une nuée de paparazzi. Quand, sachant qu'il ne pouvait rejeter ses avances, elle lui a tendu ses lèvres charnues, Johnny a dissimulé son agacement derrière un masque impénétrable et lui a rendu son baiser. Elle a tout fait pour prolonger le plus longtemps possible le contact de leurs lèvres, de manière à lui mettre le nez dans leur échec, a-t-il pensé, leur égoïsme foncier, leur vide béant. Elle le méprisait comme lui-même la méprisait depuis quelque temps. Il a compris avec stupeur et chagrin que jamais ils ne parviendraient à se débarrasser des eaux nauséabondes qui les submergeaient quand ils se voyaient.

Le repas n'a été qu'une succession d'approbations appuyées de la tête, d'étonnements calculés. Quand, sur le trottoir, sous les yeux narquois du portier, Johnny lui a dit qu'il irait se balader seul, Nayla a presque eu l'air soulagé. Sans lui faire la bise, comme pressée de se retrouver sur la pente aux murs huileux, elle a frotté deux doigts près de son oreille, le visage exprimant une tendresse moqueuse, pour ensuite tourner les talons. Il s'est interdit de suivre sa silhouette qui se perdait derrière les colonnes torsadées d'une galerie de bijouteries.

Johnny est parti dans le sens opposé et a évité de pénétrer dans la médina pour ne pas croiser les gamins au visage d'homme. Il est descendu vers le port par des ruelles offrant par à-coups une vue sur la jetée d'embarquement, sur la casbah flottant au milieu de l'obscurité bleutée et sur l'espace frais et libre de l'horizon et de la mer confondus. La lune brillait comme un œil égaré, et quand il est tombé, face aux docks, sur les bars embrasés par une musique populaire occidentale des années 80, il a été pris de court par la peur bandant les muscles de sa poitrine.

Il s'est engouffré dans le bar étroit qui lui était familier, écarlate comme les entrailles d'une rose, pour fendre la foule jusqu'au fond de la pièce, parmi des grands maigres sans visage, des dragueurs anxieux aux rires forcés. Comme il commandait un whisky sur glace, des bras l'ont enlacé, des voix lui ont murmuré des mots en arabe. On lui a parlé de kif aux effets surnaturels, de tapis vendus dans l'est de la ville à des prix dérisoires, d'épouses au cœur d'or, d'hôtels avec vue sur le palais du sultan.

Une torpeur le gagnait déjà quand il a aperçu dans l'encadrement de la porte la silhouette d'un homme de taille moyenne. De sa démarche hésitante, ce dernier s'est frayé un chemin, et Johnny a su qu'avec un peu d'imagination il arriverait à se convaincre qu'il pouvait faire l'affaire. L'homme s'est installé au comptoir, séparé de Johnny par quatre têtes. Il soupirait à profusion pour partager le malaise que provoquait chez lui un tel endroit, balayait la salle du regard comme s'il cherchait quelqu'un, lissait ses longs doigts de pianiste. Il a serré à deux mains le verre ballon de cognac déposé sur le comptoir par le barman et s'est de nouveau tourné vers la masse de fêtards, le visage altier et blasé. Johnny a palpé et écarté deux, trois épaules recouvertes de chemises humides, pour se retrouver nez à nez avec l'homme. Il semblait embêté par les yeux insistants de Johnny, pour qui son visage perdait si promptement son aspect anonyme et inatteignable qu'il a eu envie de passer une main suave sur son menton.

Johnny lui a adressé la parole, des formules d'usage, des compliments indirects, mais l'homme répondait par monosyllabes, le guettant de ses yeux véloces. Leur échange s'est vite essoufflé, comme si l'impulsion originelle de la conversation n'avait pas été assez forte. L'homme a jeté un œil sur sa montre et, sans lui faire ses adieux, s'est dirigé vers la sortie.

Accablé par la chaleur, Johnny a fait mine de s'intéresser aux impressions de voyage d'un jeune Hollandais, avant de sortir du bar. Il a alors revu l'homme, de dos, qui contemplait, les mains dans les poches de son veston, les vagues enfouies dans les ténèbres épaisses, le contour gris du bateau-citerne qui mouillait dans le port. Johnny l'a rejoint. Sans se consulter du regard, ils ont cheminé vers la plage côte à côte. En un geste continu et nerveux, l'homme essuyait la manche de son veston clair. Une fois arrivé sur le sable, Johnny s'est mis à l'épier : traits affaissés, sourcils arqués et broussailleux, calvitie dévoilant un front proéminent. L'homme a considéré Johnny, il a ouvert la bouche, mais les mots sont restés dans sa gorge. Tiraillé, les lèvres rentrées, il fixait le sable de ses yeux hagards, comme s'il se repentait d'un mauvais coup qu'il n'avait pas encore fait.

Johnny a posé une main sur l'épaule de l'homme pour qu'il s'immobilise. Les lèvres de l'homme se sont desserrées, se sont mises à luire. Il gardait les yeux fermés, sa respiration fraîche, sifflante, travaillait la joue de Johnny ; sa langue épaisse se tortillait au ralenti à la manière d'une pieuvre. Il gémissait de plus en plus fort, enfonçait ses doigts dans les plis du pantalon de Johnny, comme pour se convaincre de son manque d'inhibition. Une pression sur ses épaules a contraint Johnny à s'agenouiller, il a obéi. Derrière le tissu gris et uni du pantalon, des grues jaunes s'érigeaient dans des poses bizarres, telles des carcasses préhistoriques. Des poils raides, évoquant une toile d'araignée, sont apparus ; la peau pigmentée goûtait les algues marines. Des ongles s'enfonçaient dans les tempes de Johnny, et la respiration de l'homme s'approfondissait, devenait lourde comme un train entrant en gare. Le front de Johnny heurtait le ventre de l'homme, sa mâchoire et son poing se sont endormis. Les ronds diffus, blancs, obsédants, des lumières de la ville semblaient à portée de main. Il a vu en pensée des pieds osseux et bistrés aux ongles noirs, chaussant des sandales poussiéreuses, avançant sous un soleil écrasant, et sa bouche s'est alors emplie d'un goût acide et velouté. Des mains désorientées, malhabiles, ont repoussé la tête de Johnny qui, à quatre pattes, s'est écarté en rampant pour éviter les coups. Le poing frénétique, la ceinture tintant tout bas, l'homme se pliait en deux.

Resté étendu sur le sable, ce dernier a longuement contemplé le ciel haut et noir. Il s'est agenouillé et s'est approché de Johnny pour le renverser sur le dos. Les étoiles, points fixes, ahuris, ont élargi leur circonférence, une brise piquante montait de la mer, et Johnny s'est surpris à rire tout bas. L'homme s'est relevé, stupéfait ; en apercevant son visage indigné, Johnny n'a pu s'empêcher de rire aux éclats. L'homme a épousseté son pantalon et s'est éloigné en titubant, jetant derrière lui des regards rapides, tandis que Johnny lui tendait la main en criant « attends, reviens », sachant que c'était peine perdue. Il s'est recroquevillé comme un fœtus, a fermé les yeux et il senti la mer qui l'ensevelissait de ses flots lascifs et écumeux pour le transporter dans un monde d'algues, de bulles et de poissons aux yeux fluorescents.

7

EN OUVRANT les yeux, Nayla a cru voir dans son demi-sommeil sur le plafond gris de sa chambre les mêmes muscles élastiques, les mêmes bras bronzés, les mêmes mamelons d'homme au bout dressé que dans son rêve. Les images toutefois se diluaient à vue d'œil, comme si des vagues leur passaient dessus. En s'étirant, elle a caressé sous les draps soyeux son ventre, ses hanches pleines, pour glisser sa main vers ses poils humides. Elle a pourchassé ce corps obsédant, parfait comme une statue gréco-romaine, a gémi pour se convaincre qu'elle arriverait à donner une consistance au torse nu ; mais à ce dernier, qui s'était fondu parmi les nervures de la porte en chêne, se superposait un magma de couleurs neutres.

Oui, de plus en plus, parfois même éveillée, elle se surprenait à courir après des images susceptibles de lui procurer du plaisir. Comme un mirage, les images fuyaient à mesure qu'elle s'approchait d'elles, et avec le temps, sachant que tenter de les rattraper était inutile, elle se contentait de les regarder s'évanouir au loin. Cette sensation frustrante, elle en faisait encore l'expérience étonnée et quelque peu craintive. Était-elle en train de se lasser du plaisir ? Une telle chose était-elle possible ? Récemment, en furetant dans le bureau d'Antoine, elle était tombée sur un passage de Schopenhauer (qu'Antoine avait recopié dans un cahier noir de chimiste) qui décrivait à peu près ce qu'elle vivait : « Autant les jouissances augmentent, autant diminue l'aptitude à les goûter : le plaisir devenu habitude n'est plus éprouvé comme tel. Mais par là même grandit la faculté de ressentir la souffrance ; car la disparition d'un plaisir habituel cause une impression douloureuse. » Elle aussi, dans une journée, souffrait davantage qu'elle ne prenait son pied. Avait-elle abusé de certains plaisirs, en particulier des plaisirs sexuels ? En tout cas, un changement s'était produit : elle se souvenait très bien qu'adolescente le plaisir que lui procurait un nouveau corps l'empêchait souvent de fermer l'œil la nuit. Aujourd'hui, dès la première baise, l'odeur de soufre de la routine l'envahissait.

Elle s'est dit qu'elle était la cause de son malheur. Elle qui, pour paraphraser Schopenhauer, n'avait jamais voulu « être dupée par l'espérance », elle qui était convaincue qu'on ne pouvait durant sa vie que « danser dans les bras de la mort ». Sinon pourquoi se faisait-elle depuis toujours un devoir de traquer le côté noir de ses proches ? Pourquoi était-elle fascinée par les tares et les défauts des autres ? Aujourd'hui, il lui semblait qu'elle payait cher cette vision du monde. Comme elle aurait aimé avoir le sexe joyeux, carnavalesque !

Assise dans son lit, elle s'est allumé une cigarette, la torsade de la fumée lui a coupé le visage en deux. Elle s'est souvenue du rendez-vous que lui avait donné Mark aux bureaux de l'agence, mais le cœur n'y était pas. Elle s'est traînée hors du lit.

Pour le plaisir elle roulait vite, à quarante kilomètres à l'heure au-dessus de la limite, zigzaguait entre les automobiles sans mettre ses clignotants. Les toits d'ardoise luisaient sur fond de ciel gris, la voix éteinte de Gainsbourg s'alliait à merveille aux teintes délavées des immeubles du quai des Tuileries.

Au moment où elle arrivait aux bureaux, la séance de photo de Mark débutait, et elle n'a eu le temps que de lui souffler un baiser que ce dernier, d'humeur joyeuse, a fait mine d'attraper au vol. Elle a erré d'une pièce à l'autre, a salué les employés et laissé tomber quelques plaisanteries acides, comme l'exigeait le personnage pince-sans-rire qu'elle s'était inventé, avant de s'engager dans le couloir sombre qui menait à une sorte de boudoir art nouveau.

Elle a feuilleté un vieux *Harper's Bazaar* italien, pour tomber sur une vue aérienne de l'Erdre dans un article sur le tourisme en hausse dans l'ouest de la

France. Elle s'est souvenue des fugues qu'elle faisait le long du fleuve par temps de pluie, enfant, quand elle a aperçu à l'autre bout du couloir la longue silhouette de Colin. Leurs yeux se sont croisés, mais il ne l'a pas saluée : il a fait semblant de prendre plaisir à discuter avec la secrétaire (une maigrichonne aux yeux bleu turquoise), riant fort, exagérant l'élégance désinvolte de ses gestes. De sa démarche impertinente, après avoir résolu les mystères du monde, il est venu s'asseoir à ses côtés, sans la regarder, ne cédant pas à la tentation de pousser l'effronterie jusqu'à feuilleter lui aussi un magazine. Immobile, l'index sur la tempe, il réprimait, amusé, le rire gentil qui menaçait de surgir de ses lèvres.

D'un ton familier, il a raconté son avant-midi marqué par les idées fixes de son agent français, qui insistait pour que sa formation fasse une apparition dans un talk-show en chute libre dans l'audimat. Après quelques autres doléances de ce genre, quand la conversation le permettait, il se penchait péniblement comme s'il voulait ramasser un objet tombé par terre, mais, se ravisant à la dernière seconde, se contentait d'effleurer du revers de la main le bas du pantalon noir de Nayla. Il ne se permettait pas de contempler son visage, encore moins de plonger son regard dans le décolleté profond de son chemisier déboutonné. Nayla, elle, tentait de lire entre les lignes de ses phrases empesées par l'amour-propre, car, à l'évidence, au-delà du jeu prévisible de la séduction, il cherchait à lui communiquer une règle imaginaire à laquelle il s'accrochait de tout son être : il sortirait toujours vainqueur de leurs duels. Cet amour-propre faisait également apparaître chez lui, par contre, une vulnérabilité, une humanité qu'elle ne lui eût pas soupçonnée, surtout perceptible dans le timbre net de sa voix : c'était une netteté difficile à soutenir, une netteté affectant une assurance qu'il aspirait à atteindre mais qu'il devait se contenter de singer. Quand il lui a tapoté le menton, geste que Nayla a interprété comme un aveu de sa vanité, il a suffi d'une fraction de seconde pour qu'elle le voie étendu au milieu d'une ruelle trempée par la pluie et jonchée de merdes de chien, la chemise en lambeaux, le sang dilué et le tortillement encore tiède de ses tripes à l'air.

— J'aime les hommes qui savent rire de leurs travers.

Colin est resté interloqué, le bout du soulier noir suspendu, pointant vers le plafond.

— Tu es de ceux-là, a-t-elle ajouté. Ton autodérision, ton innocence, c'est sans doute ce que tu as de meilleur… Pardonne-moi. Je ne voulais pas t'embarrasser.

Il l'a épiée, comme pour s'assurer qu'elle ne se payait pas sa gueule. En élargissant son sourire, il a cillé et s'est lancé dans une description volontairement fastidieuse de sa capacité de rire de situations dramatiques. Ses yeux clairs, traversés de lueurs attendries, exprimaient un espoir triste, donnaient l'impression de leur imaginer, quand il se taisait, une vie commune dans une villa d'où l'on dominait des milliers de têtes hirsutes de palmiers.

Il a feint de se remémorer un après-midi ensoleillé d'automne à Londres, à Bloomsbury, pour aborder à la surprise de Nayla *Basic Instinct*, le film. Au moment de sa sortie en salle en 1992, on ne pouvait encore se douter que ce film proposerait une représentation quasi parfaite du nouveau pacte sexuel et amoureux entre les hommes et les femmes. Baiser dans les années 80, décennie durant laquelle le sida semait la terreur (terreur dont on faisait de moins en moins de cas à mesure que les ravages causés par le virus se déplaçaient vers les pays en voie de développement), était une expérience périlleuse, angoissante. La décennie suivante avait sinon oublié le sida, du moins cessé d'en brandir le spectre (en partie parce que les émissions spéciales sur la maladie rapportaient de moins en moins), surtout depuis qu'une dizaine de pilules colorées augmentaient considérablement l'espérance de vie des séropositifs. Dans les années 90, comme c'était le cas pour le personnage de Sharon Stone dans le film, baiser c'était mourir un peu ; l'association entre la mort et la sexualité était devenue plus symbolique, plus éthérée : on avait pris goût à baiser la mort. Les temps étaient à la nécrophilie.

Il avait voulu faire grand étalage d'esprit, de manière qu'elle le redoute, mais il avait manqué son coup. Elle a eu la conviction que, ça y était, il s'était accroché à elle : sinon pourquoi se serait-il donné tant de mal ? Elle a vu passer des reflets argentés, pervers, dans son regard, et elle a eu tôt fait de prendre ces reflets comme une confirmation de son intuition.

— Je ne sais pas, a-t-elle dit. Mais tu n'es sans doute pas très loin de la vérité.

Mark est apparu à l'autre bout du couloir. Nayla s'est dirigée vers lui, aussi enthousiaste que si elle était sa petite amie. Elle a enlacé sa nuque, a approché sa tête de ses seins. Le photographe prend une pause, lui a-t-elle murmuré à l'oreille et, comme elle caressait son ventre et le fixait droit dans les yeux, il a tenté de se dégager, amusé, mais quelque peu gêné par tant de familiarité. Sans que Mark s'en aperçoive, elle a appelé l'ascenseur et, avant de s'y engouffrer avec lui, elle a épié Colin : il avait disparu. Ils sont ressortis en trombe au troisième étage, comme s'ils s'étaient fait mettre à la porte de l'ascenseur, riant et tournoyant, avant de se faufiler dans une pièce froide, sombre, meublée de fauteuils de cuir, empestant le cigare. Ils se pliaient en deux quand l'un risquait une avance vers l'autre, ils se tapaient les cuisses en fermant les yeux, et pas une seconde Mark ne s'est douté qu'au fond elle le méprisait avec tendresse.

Épuisés, la respiration courte, ils s'observaient comme des amoureux, et Nayla s'est surprise à trouver du charme à son visage évoquant la rigidité des S.S. dans les films hollywoodiens. C'est ça, il était attendrissant comme un jeune nazi en culotte courte.

Elle a passé un doigt sur l'aile de son nez. Il a mouillé ses lèvres minces, rosées, pour se mouler à elle et plonger une main derrière ses fesses. Il bandait comme un Turc. Elle a enduré le pétrissage mécanique de ses seins, ses baisers, son odeur étrange de pâte à modeler.

Au bout d'un moment, en se répétant qu'elle allait baiser avec un fils de tortionnaire, un fanatique de la chaise électrique, elle a fait glisser son pantalon serré le long de ses hanches, et il a ouvert la bouche sans émettre de son : elle ne portait pas de petite culotte. Il s'est battu avec sa ceinture, s'est déculotté, et Nayla a empoigné son sexe entre ses doigts : les yeux exorbités, il a râlé longuement, tandis que, derrière la porte entrebâillée, la tête brune et les yeux fauves de Colin sont apparus. Se tortillant comme un ver, Mark a déchargé dans la main de Nayla, sous le regard de Colin, qui rayait la pénombre.

ANTOINE ÉTIRAIT le cou vers le plafond, comme pour se détendre, les bras sur les accoudoirs du fauteuil, les mains pendantes comme des tulipes assoiffées. Il attendait la réponse de Johnny, inquiet, aurait-on dit, de voir le temps lisse et blanc défiler devant ses yeux quand les phares d'une voiture allumaient furtivement le mur en face de lui. Peut-être était-il en train de se convaincre qu'il n'aurait jamais de certitude sur son art, l'exutoire de tous ses désirs, but vers lequel devait tendre le fil ténu de sa vie. C'est cette vulnérabilité franche, héroïque, que Johnny aimait chez son seul ami, camarade de collège qui s'était mué au fil des ans en un contraire rassurant.

— Tu vois, cette femme pour laquelle tu t'obstines, a commencé Johnny en s'aidant de ses mains, ce feu ravageur qui te consume, cet élan voué à l'échec —

tout est voué à l'échec en art, tu le sais mieux que moi —, ça n'a de sens que pour toi. Vu de l'extérieur, ton projet semble se mordre la queue. Ta créature m'a paru achevée cinq ou six fois par le passé… Cela dit, ces femmes aux figures irréprochables, mignonnes, au nez de souris, rondes et dorées, masculines aux yeux félins, révèlent toutes une vénération fétichiste, convenue ou originale — le public décidera —, du corps féminin.

Ses remarques, qu'Antoine ne connaissait que trop bien, l'ont tout de même plongé dans la perplexité. Il a levé un coude pour retrousser la manche de sa chemise, a entamé sans ostentation sa défense pour se convaincre à nouveau de l'importance de sa quête artistique, de la valeur de ses choix, de la supériorité morale de son existence sur celles de Johnny et de Nayla, et la discussion en est restée là.

C'est étrange, a pensé Johnny, son ami ne croyait ni aux religions, ni en Dieu, de moins en moins (même s'il ne l'avouait pas) à l'amour ou à l'amitié, mais s'accrochait à l'idée absurde que l'art aidait à vivre. Il admirait la force tranquille d'Antoine qui, la tête baissée, endurait les coups bas infligés par l'art, ce dieu cruel qui exigeait tant et donnait si peu en retour. Il ne voyait presque plus sa famille (ces personnages secondaires, ces cobayes pour sociologues en quête de spécimens en voie d'extinction, comme il disait lui-même), si ce n'est aux fêtes de fin d'année. Sans le projet Victoria, il ne se serait peut-être pas enlevé la vie, mais serait probablement parti dans un pays chaud y couler des jours anonymes.

Johnny s'est levé pour s'appuyer à la fenêtre. En bas, sur le trottoir taché par l'éclairage des réverbères, une vieille se traînait à petits pas, sans canne, les lacets défaits, une grappe de canettes de bière sous le bras, faisant une halte de temps en temps pour reprendre son souffle et observer la rue de ses yeux rancuniers. Et si c'était là la mort en personne? Lui qui venait d'avoir trente ans, pourquoi songeait-il de plus en plus souvent à la mort? Derrière lui, Antoine a allumé une lampe et préparé deux whisky sur glace.

Pour meubler le silence, Antoine l'a questionné sur son « flirt professionnel », et Johnny a répondu que cela s'annonçait facile, affectant une assurance qu'il savait exagérée. Durant la leçon de tango, Caroline s'était montrée sur ses gardes, mais un grand pas avait été franchi, puisqu'il la saisissait mieux; elle n'était plus une image figée, une abstraction. Il fallait être prudent, par contre. Elle était probablement plus vive d'esprit qu'elle ne le laissait paraître : elle semblait jouer avec adresse de sa vulnérabilité, tentait de conserver, peut-être par coquetterie, une aura de fragilité.

— Si je comprends bien, a dit Antoine, tu as déjà relevé de plus grands défis.

— Sans doute. Mais tu sais, ce n'est pas tant le défi que la nature des pièges que je lui tends qui rend la chose émoustillante. Demain, tu vois, c'est l'épisode de bienfaisance.

— Ah, ta spécialité!

Johnny a esquissé un sourire et a pris le verre sur la table.

— Je me souviens de cette scène dans *Les Liaisons dangereuses*, a dit Antoine. Ça se passe dans la forêt. Sachant que Mme de Tourvel l'épie, Valmont donne une généreuse somme à une famille dans le besoin. Bien sûr, tout cela est arrangé, la famille est complice du subterfuge. À partir de ce moment, convaincue de la bonté de Valmont, Mme de Tourvel surmonte ses réticences à l'égard de Valmont et se livre à lui tout entière.

— C'est à peu près ça, mais, modernité oblige, j'ai introduit quelques variantes… Je me sers souvent de cet épisode, c'est vrai ; sans doute parce que Valmont y montre avec brio que le don est avant tout affaire de vanité… Plus loin dans le roman, ce sera à son tour de tomber dans un guet-apens. La marquise de Merteuil lui écrira alors, railleuse : « Oui, Vicomte, vous aimiez beaucoup Mme de Tourvel, et même vous l'aimez encore ; vous l'aimez comme un fou : mais parce que je m'amusais à vous en faire honte, vous l'avez bravement sacrifiée. Vous en auriez sacrifié mille, plutôt que de souffrir une plaisanterie. Où nous conduit pourtant la vanité ! Le Sage a bien raison, quand il dit qu'elle est l'ennemi du bonheur. » Est-ce à dire que la vanité est un moteur psychologique plus puissant que l'amour ? Que l'âme, une fois débarrassée des considérations métaphysiques, n'est qu'une histoire de peau ? C'est possible… En tout cas, je sais une chose : dire que ce roman, comme le font trop de gens, est l'apogée de la pensée libertine, pensée libérée du « terrible » héritage rigoriste judéo-chrétien, c'est simplifier les choses et surtout ne pas aller à l'essentiel. Ce roman présente surtout la séduction et la sexualité comme une affaire de pouvoir, et il n'a pas tort. Car y a-t-il plaisir plus grand que celui de dominer ?

Johnny a eu tôt fait de regretter ses paroles, non pas parce qu'il ne les pensait pas, mais parce qu'il savait qu'il donnait des munitions à Antoine. Le sourire de moine bouddhiste de ce dernier et l'éclat soudain de ses yeux fatigués l'ont inquiété.

Antoine a bu une grande gorgée de whisky, s'est essuyé les lèvres du pouce et s'est mis à parler de Nayla. Il appréciait son côté fougueux, changeant, brouillon, a-t-il dit, car il hissait haut le désir d'entreprendre, la volonté de se jouer de la mort en brandissant l'imagination et la fantaisie. Pour lui, elle était l'océan argenté et houleux sous une pleine lune, une montagne ensevelie sous des décombres de cendres, de corps mutilés et d'automobiles accidentées. Elle était une clé sans serrure, une manivelle sans moteur, une enfant sans parents. Enfin, une image qui contenait toutes les autres : une dompteuse de cirque qui faisait claquer un fouet devant des hommes qui plongeaient tête première dans des cerceaux enflammés.

— Un jour, par contre, a-t-il poursuivi en tournant un visage de dépit vers Johnny, elle gravira l'escalier de secours d'un gratte-ciel, peu importe lequel, peu importe la ville, pour monter sur le toit et, sans dramatiser, prenant pleinement conscience qu'elle est un être humain parmi des millions d'autres dans la ville, et cela aura pour elle quelque chose de revigorant, sachant dans son for intérieur que les choses devaient se passer ainsi, elle marchera dans le vide et ouvrira les bras comme un ange au-dessus de la ville.

Johnny a soufflé sur ses doigts pour cacher l'animosité qui montait en lui. Il savait que le pressentiment d'Antoine au sujet de Nayla s'adressait tout autant à lui. Antoine les percevait depuis quelque temps déjà comme des vampires avides de saigner leurs proies, des revenants prenant plaisir à mortifier les vivants. Johnny lui en voulait de ne pas saisir l'aspect tragique de la personnalité de Nayla, d'oser imaginer sa mort. Sur le coup, il s'est senti loin de son ami, déçu. Peu à peu, des remarques insidieuses, blessantes, puis assassines, lui ont traversé l'esprit, des remarques qui dilapidaient la solitude égoïste des artistes, la futilité chic du projet Victoria et la supposée amitié qui les unissait. Cette dernière lui a semblé suspecte, peut-être même intéressée, en tout cas entachée de quelque chose de malsain.

— Johnny? s'est enquis Antoine d'une voix tout à la fois douce et taquine.

Johnny s'est souvenu du petit bonhomme frêle qu'était Antoine, de ses crises de larmes sous le porche du collège, tandis qu'un froid humide les faisait tous deux grelotter. Il n'arrivait pas à faire le lien entre le garçon de l'époque et cet homme à moitié ivre qui se berçait devant lui. Il a déposé le verre sur la table du salon, s'est dirigé vers le couloir sans regarder Antoine et a entendu un gloussement. Il a ouvert la porte et, déjà en la refermant derrière lui, il regrettait de partir.

Dans l'escalier, il s'est vu répondre au téléphone, entendre la voix embarrassée et amusée d'Antoine qui, comme à l'accoutumée, prétexterait qu'il voulait lui emprunter un disque de Bowie ou un livre d'Oscar Wilde que pourtant il avait bel et bien vu sur les étagères de la bibliothèque de son ami.

JOHNNY ALLUMAIT les torches fixées à l'écorce des chênes quand il a aperçu du coin de l'œil les deux silhouettes élancées qui longeaient le lac Daumesnil où glissaient des cygnes noirs. En voyant ses convives installés à des tables de pique-nique accueillir les deux filles par des sifflets, allonger le cou pour les reluquer, il s'est dit que ce stratagème, ces heures de préparation, étaient sans doute voués à un dénouement ridicule et prévisible. Il a senti ses jambes molles le transporter vers les filles pour les remercier de cette visite « impromptue » qui le ravissait.

Elles ne faisaient que passer, avaient un engagement plus tard, a expliqué Alek, les épaules nues léchées par les flammes indisciplinées.

Sans que Johnny leur fasse signe, les mariachis ont entamé de leurs voix dénuées d'entrain une ranchera où il était question d'un pistolero assoiffé de vengeance, à la recherche d'un gringo qui avait défloré sa femme dans le lit nuptial le soir même des noces.

Caroline plissait le front, semblait vouloir donner un sens à la lune qui hissait de plus en plus haut sa face virginale. Des éperviers et des faucons crécerelles tournoyaient au-dessus des chênes qui s'agitaient comme des épouvantails. Les sans-abri bavardaient, la bouche pleine, s'esclaffaient d'un rire gras et levaient leur coupe pour tout et pour rien. L'expression de Caroline oscillait entre une indifférence feinte et une curiosité mal dissimulée, deux pôles que Johnny a eu tôt fait de concilier. Elle a fait un pas vers lui, la bouche sincère, luisante.

— Que célébrez-vous au juste?

Elle l'a regardé droit dans les yeux, et il a vu passer sur son visage quelques-uns des masques qu'elle s'était inventés au fil des ans. Elle se battait contre son inexpérience, dont elle aurait voulu se débarrasser d'un coup, comme lorsqu'on envoie une chemise malpropre dans le panier de linge sale. D'une main, Johnny a fait taire ses invités pour leur poser la question de Caroline.

— On ne fête rien de particulier, a répondu une quinquagénaire aux cheveux broussailleux. Le beau monsieur nous offre un banquet, voilà tout.

Il a expliqué sa récente collaboration avec les soupes populaires parisiennes. Il y a trois ans, il avait offert un repas à une vingtaine de mendiants choisis au hasard pour leur démontrer par *a* + *b* que la vie était ponctuée de surprises réjouissantes. Les années suivantes, comme la soirée initiale s'était révélée un franc succès, il avait répété l'expérience.

Le nez en l'air, elle semblait évaluer si elle devait retenir la contrariété qui s'emparait d'elle. Elle a refusé de durcir ses traits, une bonne humeur soudaine a relevé les commissures de ses lèvres. Elle a baissé la tête, de profil, les paupières mi-closes, comme si elle réprimait — et voulait le faire savoir — des mots blessants, des visages désapprobateurs.

Johnny lui a tourné le dos pour remplir de rouge les coupes de ses invités, pendant que les mariachis, de leur voix cassée, vociféraient des paroles enflammées, relatant des amours déçues, noyées dans des soûleries se terminant au petit matin. Et c'est alors qu'en balayant du regard le lac, les têtes de ses convives, les ombres obèses aplaties dans le sous-bois, il a eu la tenace et confondante impression que tout ce décor faisait partie du rêve d'un homme qui dormait quelque part, tout près, sous un sapin. Et si sa vie n'était que le rêve incohérent d'un clochard ivre ?

— Bien sûr, a-t-il dit, c'est une goutte dans l'océan. Donner est un luxe, un plaisir que je m'offre.

Les yeux rivés sur Johnny, Caroline a demandé à Alek en remuant à peine les lèvres :

— Il se prend pour qui, ce gars ?

Ça y est, s'est dit Johnny, satisfait. Caroline portait, héroïque, têtue, égotiste, le poids des misères du monde sur ses épaules ; scandalisée, elle jouait à merveille son rôle de redresseur de torts. La scène avait quelque chose de mémorable : la chevelure lustrée par la lumière des torches, le visage embrasé, elle exhibait sa jeunesse avec arrogance, et s'était persuadée en quelques secondes qu'il fallait emprunter la voie la moins subtile qui s'offrait à elle.

Alek a cherché le regard de Johnny, a avalé sa salive avec effort :

— Écoute, Caro…

— T'étais au courant de tout ça ? a demandé Caroline en montrant les invités de la main.

Elle les scrutait, s'efforçait de prendre ses distances, de leur communiquer la profondeur de son analyse, l'infinie bonté qui irradiait de sa personne.

Johnny a toussoté en souriant.

— Si je peux me permettre… Il me semble — ce n'est peut-être qu'une impression, remarque — que tu te laisses distraire par la surface des choses. L'idée, c'est de les extraire, ne serait-ce qu'un soir, du cercle vicieux de l'indigence (appelle ça comme tu voudras), dans lequel ils sont tombés. Tu ne peux pas être insensible à ça tout de même…

Elle a soutenu son regard. Elle tentait sans doute d'éviter le piège, luttait contre les tropismes qui envahissaient son ventre, affichait un étrange visage de somnambule.

Johnny a tourné les talons pour dissimuler l'envie de rire qui s'emparait de lui, tandis qu'au loin les cracheurs de feu, le crâne rasé, la mine patibulaire, venaient droit vers eux comme un peloton égaré ayant retrouvé son chemin dans les ténèbres. Bientôt, des langues de feu ont jailli au-dessus des têtes, spectacle que tous suivaient subjugués comme des enfants, même Caroline. Il en a su gré aux convives lorsqu'ils ont hurlé, rires et cris viciés par l'excès d'alcool, bouches poilues grandes ouvertes où ondulaient des flammes sensuelles et bleuâtres. Quand les cracheurs de feu se sont étendus par terre, le torse luisant, la respiration haletante, Caroline a effleuré du revers de la main les doigts d'Alek, et celle-ci s'est avancée vers Johnny pour lui faire la bise.

— Du calme, a marmonné ce dernier. Tout se passe comme prévu.

Et c'est alors que les gestes trop familiers des convives, l'orange ardent projeté par les torches sur les nappes immaculées et les flammes toxiques des cracheurs de feu lui sont apparus dans toute leur artificialité, toute leur inutilité décourageante. Que faisait-il ? Avait-il perdu la tête ?

Comme elles s'éloignaient, Caroline a salué de la main les attablés, sans considérer Johnny, un sourire différent sur les lèvres, presque navré, brèche surprenante dans la forteresse de son amour-propre. La nuit les a rapidement englouties dans son domaine clos.

Les cordes des guitares ont cessé de vibrer, les conversations se sont éteintes une à une, un silence de braise est tombé. On se dévêtait, on pliait son costume, on aidait son voisin à se démaquiller.

— Alors... content ? a demandé la femme aux cheveux broussailleux en enlevant sa perruque.

— C'était pas mal, s'est contenté de répondre Johnny.

Il lui a tourné le dos pour compter à la lumière des torches la liasse de billets qu'il venait de sortir de sa poche, le goût amer de la victoire au fond de la gorge, et il a vu en pensée le lys coupé de l'innocence de Caroline à la dérive sur une rivière cristalline.

AFFALÉE SUR un fauteuil de cuir noir du Denimo, clignant des yeux à cause de la fumée de sa cigarette, Nayla contemplait indifféremment les hommes et les choses (les tubes de néon et les verres), l'aspect réifié des premiers, la lumière et le scintillement quasi humains des secondes, et se demandait dans l'obscurité assourdissante : est-ce le vacarme qui rend la distinction floue entre les deux ? Elle caressait avec insistance le bras du fauteuil et s'est aperçue que ce geste simple ne la convainquait pas de la réalité de la scène d'ombres et de lumière devant elle. En fait, comment distinguer la réalité des images syncopées projetées sur l'écran géant à sa gauche, puisqu'elles provoquaient en elle les mêmes envies et sensations ?

Durant ces moments d'incertitude, elle se remémorait au hasard des épisodes de sa vie, images fugitives, baignées d'une lumière vive, pour constater qu'ils s'apparentaient davantage à la discontinuité du monde onirique qu'au film empesé et ennuyeux qu'elle appelait la réalité. Aussi, comme elle n'arrivait pas à se convaincre que les images que lui présentait sa mémoire renvoyaient à sa vie, elle passait en revue les « informations générales » à son sujet (femme célibataire, née à Tanger, résidant en France, âgée de trente ans, mannequin...), comme disent les formulaires gouvernementaux, et celles-ci lui semblaient vides de sens. Elle s'imaginait être une actrice qui, tout le long d'une carrière brillante, aurait incarné, perruques et costumes aidant, une série de rôles de composition, interprétés avec vraisemblance, qui mis bout à bout n'engendreraient pas une vie cohérente, mais des saynètes sentimentales, presque fleur bleue, des coups de théâtre ayant perdu avec le temps leur lustre dramatique.

Colin est apparu sur le seuil, la chevelure savamment dépenaillée, une écharpe autour du cou, les épaules relevées comme pour se protéger du tohubohu de la musique. Avec un calme affecté, les poings enfoncés dans les poches de sa veste de suède, il a balayé le bar du regard, sans se laisser distraire par les jolies frimousses ou les pantalons qui moulaient des fesses hautes. Quand il a repéré Nayla, il a relevé les sourcils et s'est frayé un chemin vers elle, les gestes étonnamment posés, débarrassés de leur brusquerie hautaine. Il lui a fait la bise pour s'asseoir dans le fauteuil voisin, se refusant à la regarder, fixant des yeux hagards sur le sol, certain que la gravité triste de sa gueule la remuerait. Nayla contemplait sa barbe de deux jours, les cernes qui creusaient ses yeux et le rendaient plus vulnérable que d'ordinaire. Une porte noire et lourde s'est ouverte sur une fille, petite, coupe japonaise, look gothique, qu'il a suivie du regard, d'un air absorbé, comme pour chercher dans son expression de défi une confirmation de ce qu'il était venu avouer à Nayla.

Mais Colin a très mal engagé la conversation. Il s'est lancé à corps perdu dans un prologue où il était question d'une Somalienne aux grands yeux noirs, rencontrée il y a quatre ans au snack-bar ambulant en face du British Museum, un jour qu'il pleuvait des cordes.

Il s'en était suivi une liaison orageuse qui, toutefois, si Nayla avait bien compris (il ne terminait pas ses phrases et avait la manie de s'arrêter à des détails comme l'odeur des draps après qu'ils avaient fait l'amour), n'avait duré que quelques mois, lui ayant peur de ce qu'elle éveillait en lui, elle préférant ne pas vivre à ses crochets. C'était la dernière fois qu'il avait éprouvé quelque chose qui s'apparentait à des sentiments amoureux.

Elle est restée de glace, a pris une bouffée de sa cigarette.

— Si je comprends bien, tu n'as jamais été amoureux.

Il a posé les coudes sur les genoux, le cou engoncé dans le col de la veste, les yeux posés sur elle.

— C'est un peu pathétique, tu ne trouves pas ? a-t-elle ajouté.

— Tu ne comprends pas. Aujourd'hui, je regrette d'avoir rompu avec elle.

Elle s'est penchée sur la table basse pour écraser son mégot et, d'un air de conspiration, elle lui a fait signe de s'approcher.

— Qu'est-ce qui se passe ? lui a-t-elle demandé d'une voix douceâtre. Tu as les yeux cernés.

Il a eu un petit rire pour aussitôt hocher la tête affirmativement et reprendre son air grave.

— Tu dors mal ?

Il dormait mal.

— Il faut que tu comprennes, ce n'est pas l'image que tu projettes. Je veux dire, le gars sensible et tout.

Il a haussé les épaules. Pendant que la musique pastichait le thème d'un film d'épouvante des années 50, Nayla a desserré les doigts pour dévoiler au creux de sa paume deux comprimés minuscules, fluorescents. Pris de court, Colin les a fixés et s'est laissé aller contre le dos du fauteuil en se muant en un homme déçu, aux narines dilatées et au regard méfiant.

— Quoi ? a-t-elle demandé. Qu'est-ce qu'il y a ?

— Tu perds ton temps.

— Ne le prends pas comme ça. Des fois, quand on n'est pas en forme, ça peut détendre.

Il a plissé les yeux.

— Peut-être ai-je surestimé ta perspicacité... Écoute, je croyais être revenu de tout, je croyais ne plus jamais pouvoir éprouver. Je parle de vraiment *éprouver* quelque chose. Quelque chose de douloureux et de jouissif à la fois, quelque chose de fuyant mais de quasi visible, comme une ombre qui passe à côté de toi. Un peu comme lorsqu'on reçoit un coup de poing au ventre, on a mal mais en se rendant compte qu'on a mal une partie de la douleur se change en plaisir. Tu vois un peu ?... C'est vrai, j'ai tout eu, trop vite. La vie m'a à ce point gâté que j'ai de plus en plus de difficulté à éprouver. Depuis que je t'ai rencontrée, tout cela a changé, j'ai de nouveau reçu un coup de poing au ventre. Heureusement ! a-t-il dit en riant.

Un instant, il a paru plus jeune, il est devenu transparent comme un garçon de dix ans : il était confondant d'authenticité. Cela avait quelque chose de magique : en quelques secondes, il venait de brûler plusieurs étapes de la mission de Nayla. Pourquoi lui faisait-il ce cadeau qui, il devait s'en douter, l'emplissait d'une félicité quasi sadique ? Elle s'est dit que, même s'il simulait ce qu'il éprouvait, cela lui était égal : elle adorait ce moment incandescent où l'autre nous fait l'aveu tant attendu et que, bien qu'aucun sentiment amoureux ne nous embrase, nous cédons presque à la solennité de sa déclaration, uniquement pour la beauté de la scène, pour prolonger artificiellement, dans une danse narcissique, le plaisir — et le pouvoir — de bouleverser autrui. L'idée lui est venue de l'étreindre, de l'embrasser sur la bouche, pour assister en direct à l'éclosion de ses sentiments amoureux, mais il aurait pu mal interpréter le geste.

Elle s'est levée pour lui caresser le menton, il a pris un air railleur, comme pour se distancier de sa docilité, et il l'a suivie sans qu'elle ait à lui faire signe. Ils ont longé les fauteuils et le comptoir du bar jusqu'au fond de la salle, là où se trouvait une porte noire identique à celle des toilettes, mais munie d'une serrure numérique. Elle a tapé le code, une petite lumière verte a clignoté et, comme pour couper court à toute hésitation de la part de Colin, elle s'est engouffrée dans le couloir sinistre, éclairé au néon. Il a dit « mais... Nayla », elle a levé la main et il s'est tu. En se tenant à la rampe, ils ont descendu un étroit escalier de bois, dont les marches craquaient, et qui aboutissait à une pièce où l'on ne distinguait ni ses mains ni ses pieds, et où des murmures et des rires étouffés éclataient par intermittence. Des dizaines de têtes se serraient autour de tables rondes, devant une scène éclairée par les faisceaux rouge sang des projecteurs.

Ils ont pris place devant des couverts en argent, entre deux couples au visage pâle et oblong, au moment où des individus faisaient leur entrée en scène. Du coin de l'œil, au fur et à mesure qu'une musique lancinante mêlait des mandolines à des marimbas, Nayla a vu la figure de Colin passer d'une bonne humeur disponible à une crainte amusée, hésitante, puis d'un ahurissement serein à une expression horrifiée. La bouche entrouverte, le front plissé, il cherchait à donner un sens à ce qu'il voyait. Il regardait devant lui comme lorsqu'on se trouve devant les flots houleux de la mer pour la première fois et qu'on scrute, conquis, quelque peu déstabilisé, l'horizon plein, la souplesse des lignes horizontales couronnées par l'ardeur insistante du soleil. Mais déjà quand le serveur, un nœud papillon sous la pomme d'Adam, s'est penché sur eux pour leur tendre le menu, Colin a poussé un soupir d'aise en passant un bras autour des épaules de Nayla. Celle-ci s'est blottie contre lui pour bécoter, taquine, son cou, son menton, et l'enlacer longuement, les yeux fermés, à l'instar d'une épouse dans un rare moment de tendresse.

— Dis-moi, qui sont ces gens ?

— Des invités de l'agence… Des mannequins, des photographes, des journalistes, des intimes, des clients privilégiés… Un dîner privé.

Il suivait maintenant avec affectation et ironie

les tournoiements au ralenti des interprètes, comme s'il voulait bien se laisser prendre à leur jeu, comme s'il avait résolu de suspendre tout jugement moral. La teinte des spots a changé, et les courbes de chair, les toisons, les veines, les muscles gonflés, contractés, striés, ont pris les nuances chatoyantes et exotiques de l'or. Des groupes d'hommes et de femmes se sont succédé, un tableau baroque en a chassé un autre, et les rictus de douleur, les visages décomposés, inhabités, se pâmant, ont fait oublier la nudité des corps. Parfois, il suffisait qu'un homme fasse mine de s'accroupir ou qu'il prenne appui sur un dos rond pour soutirer à Colin un court rire niais. Puis, quand des seins avachis aux flancs ridés se sont mis à vibrer comme de la pâte à pain sous la main d'un boulanger, Colin n'a pu s'empêcher de promener des regards incrédules autour de lui, pour que les ébats sur scène durent, ne disparaissent pas d'un coup. Il n'a ni fermé les yeux, ni contracté son visage, quand des gémissements longs, amplifiés par les micros, semblables à des vagues incommensurables submergeant une ville entière, ont enterré pendant quelques instants la musique pourtant à son paroxysme. Plus tard, lorsque des visages ronds, alignés, aux mines involontairement ravies, au nez écrasé, ont été pris d'une hilarité contagieuse, il s'est contenté de couler vers Nayla des yeux attendris où vacillait une flamme jaune et violente.

8

CE DIMANCHE-LÀ, comme cela arrive fréquemment les après-midi d'automne, des fils d'argent tombaient dru du ciel et faisaient jaillir sur l'asphalte des flammèches glacées. Enlacés sous un parapluie au manche en forme de J, sans contourner les flaques ni se soucier des grosses gouttes qui se faufilaient dans leur dos, Alek et Johnny parcouraient pleins d'allant les rues étroites, sinueuses, bordées d'immeubles bas et penchés, du toit desquels pendaient des drapeaux, pleurant à chaudes larmes. Les balades dans le Vieux-Montréal ravissaient Alek, nouvellement installée en ville, parce que, prétendait-elle, c'est ici que se dévoilait le plus le côté tragique de la ville, ses rêves interrompus mais gravés dans la pierre, son orgueil blessé de ville battante. Donnant le bras à Alek, Johnny se surprenait à évaluer d'un œil nouveau la coupole argentée du marché Bonsecours, qui se confondait avec le ciel ferré, ou telle ruelle s'offrant en plongée sur les soupirs vaporeux du port. Il se muait en touriste attiré par le moindre ornement à la base des colonnes galbées, la moindre plaque commémorative sur la façade des maisons de granit au toit à deux versants, et cela n'était pas sans lui plaire.

Ils étaient à la recherche d'un café rue Saint-Paul, dont ils avaient oublié le nom et l'emplacement exact, lequel s'amusait à s'éloigner à mesure qu'ils s'approchaient de sa porte d'acajou, en demi-lune, seuls détails dont Johnny se souvenait. Le tambourinement sourd de la pluie enterrait tout autre bruit, et les rues étaient désertes, submergées dans une désolation grise et luisante. Ils se sont rendus jusqu'aux pieds de bronze de John Young, entrepreneur écossais au regard pénétrant, pour ensuite revenir sur leurs pas en changeant de trottoir, à ce point trempés que, comme des blessés, ils ne sentaient ni leurs mains ni leurs pieds. Quand la porte du café leur est enfin apparue, petite et curieusement surmontée d'un escalier — contrairement au souvenir qu'en gardait Johnny —, à l'étroit derrière un immeuble aux allures de banque récemment transformée en galerie d'art, ils ont ri en grelottant, soulagés. Des habitués, écharpe de laine autour du cou, jouaient, gestes et sourire à l'appui, la comédie de l'amitié, devant des cafés aux arômes de chocolat ou de cannelle. Une des jeunes serveuses repliait les journaux éparpillés sur les tables de bois, l'autre, appuyée au comptoir, marmonnait les commandes aux cuisiniers aux coupes de cheveux branchées.

D'un air distrait, Alek a parcouru les titres à la une d'un quotidien. D'une voix outrée, comme elle le faisait de temps à autre, elle s'est plainte du peu de place faite aux nouvelles internationales. Johnny a pesamment hoché la tête en guise d'approbation, puis il a passé une main sensuelle sur sa joue mal rasée.

À sa grande surprise, elle s'est alors lancée dans une longue diatribe contre les « tentacules des conglomérats ». Comment devait-on appeler le phénomène voulant que les revues et les quotidiens, propriété d'une maison de production de films, fassent la critique de leurs propres « produits culturels » ? Il ne s'agissait même plus d'intégration verticale ou de conflit d'intérêts, le terme restait à inventer. Selon elle, les années 90 avaient inauguré le bal des fusions et du banditisme officiel qui, d'ailleurs, sévissaient encore.

Johnny a contemplé les lignes du visage d'Alek, le travail d'orfèvre de ses tresses et son pull anthracite épousant la forme de ses seins alertes, tandis qu'elle savourait, sous le couvert d'une mine de marbre, les signes d'impatience qui le trahissaient.

La machine à café a piqué une colère. Dehors, un couple dans la cinquantaine, sans parapluie, courait en s'abritant sous des journaux pliés.

— Caroline ne peut te sentir, a laissé tomber Alek.

Elle avait prononcé la phrase avec empressement, non pas tant pour le blesser que pour s'acquitter au plus vite d'une tâche désagréable.

La fausse assurance de Johnny, a-t-elle poursuivi,

et son élégance convenue lui puaient au nez, c'étaient les mots de la jeune fille. Elle le plaignait, supposait qu'il devait être profondément malheureux, du moins désorienté, et prédisait que son attitude le mènerait tôt ou tard à un cul-de-sac. Pourquoi se donnait-il tant de mal pour camoufler la personne qu'il était réellement ? Elle se le demandait.

Johnny a souri, tout en se souvenant, non sans nostalgie, du temps où ce type de commentaire le faisait réfléchir à son incapacité de décider qui il était, ou à tout le moins de choisir une identité à privilégier. Alors, il examinait les images contradictoires que lui renvoyaient ses proches, et il se faisait l'effet d'une multitude d'ombres marchant seules au milieu de l'obscurité. Enfin, mince consolation grâce à laquelle il noyait ses angoisses dans l'oubli et l'humour, il se répétait que l'homme moderne était par définition un être qui se sent de trop dans le monde, aveuglé par sa recherche des causes, et il aimait se rappeler cette blague : un homme au volant de sa voiture, au milieu d'un boulevard dans une grande ville, entend à la radio un bulletin d'information sur la circulation : « Attention, attention, un fou roule en sens inverse... » Il donne un coup sur le volant et s'écrie : « Bordel, y'en a pas qu'un ! Ils sont des milliers à rouler en sens inverse ! »

— Elle t'a pris en aversion, Johnny.

— Victoire ! s'est-il écrié, sans doute trop enthousiaste. Je n'en demandais pas plus.

— Ah bon, a dit Alek.

— Quand quelqu'un parle de toi avec mépris, c'est que tu touches déjà au but. Dans la dialectique de l'amour, l'étape qui consiste à pester contre l'autre précède très souvent celle de l'amour naissant.

Son drame, a-t-il pensé, lucide, était dû à la logique implacable de l'engrenage dans lequel il était pris. Mais comment s'en sortir ? Il le savait, il ne pouvait vivre sans flirts, sans baises, sans friandises hallucinogènes. À l'instar d'un chanteur relégué au rang de has been, tantôt acclamé de manière chiquement rétro, tantôt hué et décrié, il encaissait stoïquement son rôle de faire-valoir, de gigolo décadent, parce qu'au moins il continuait à faire partie de la « famille », ces trois mille personnes, pas plus, qui composaient la faune branchée de la planète.

— C'est pas un peu ce qui est arrivé entre nous ?

Elle a souri, les paupières mi-closes, et a effleuré la joue de Johnny de ses doigts glacés.

DANS LES semaines d'octobre qui ont suivi, Johnny n'a cessé de croiser Caroline, à New York devant un magasin de chaussures de la Cinquième Avenue, comme elle claquait la portière d'un taxi un matin de pluie, à Londres deux soirées d'affilée dans l'obscurité fœtale du même bar, décoré de néons rose bonbon, à l'aéroport Charles-de-Gaulle dans une salle bondée à la ventilation défectueuse. Elle laissait passer une, deux, trois et parfois quatre secondes avant de lever la main près de son oreille, le sourire refusant de découvrir ses dents, ou avant de lancer un « salut » familièrement distant, mettant tout de suite un terme à la conversation. Pourtant, que ce soit après une séance de photo où elle avait imperturbablement supporté la chaleur de grill des réflecteurs ou dans la villa style Frank Lloyd Wright d'un de leurs patrons, perchée au-dessus d'une ville étendue et polluée, il lui semblait qu'elle s'arrangeait toujours pour qu'il la remarque dans l'embrasure d'une porte, un pied suspendu comme une pensée qu'on soupèse, comme tiraillée entre le désir d'exhiber sa fine silhouette, la chevelure lisse d'un blond vénitien couvrant ses épaules frileuses, et celui de déguerpir aussitôt pour oublier ce jeu subtil qu'elle-même avait imposé. Elle tenait alors une coupe au niveau de ses petits seins, demeurait dans son champ de vision assez longtemps pour qu'il remarque son profil jouant le mépris à merveille, ses yeux clairs qui battaient des cils comme pour remuer l'air de la pièce. Elle se ressaisissait en hochant la tête, voulant peut-être signifier que sa décision était irrévocable, et se sauvait en esquivant les convives avec la maladresse d'une mouche traquée. Il avait beau quitter son interlocuteur avec hâte et sans égards, fendre la foule en vidant sa flûte à champagne et contourner le plateau de hors-d'œuvre que promenait un domestique, il débouchait invariablement sur des salles vides où résonnait encore l'écho de ses pas précipités.

Quand enfin ils ont participé au même défilé à Londres, c'est elle qui, sachant très bien que la logique de leurs rencontres la forçait à faire le premier pas, a pénétré dans la pièce où se trouvait Johnny, assis, en string, une habilleuse à ses pieds l'aidant à enlever des bottes de cow-boy. Il n'a pas feint la surprise, elle n'a pas osé ébaucher une de ses mines vexées. Elle s'efforçait d'afficher une sérénité trop ostentatoire pour être crédible, souriait avec une générosité excessive, comme si elle voulait repartir à zéro. Après une ou deux remarques empreintes d'autodérision, pendant lesquelles elle le guettait avec une attention soutenue, après quelques rires forcés qu'ils ont tous deux étirés pour gagner du temps, elle a pris place sur une chaise voisine pour lui dire en se regardant dans la glace, prête pour un portrait de trois quarts : ça lui disait, du chinois, après le défilé? Il a fixé ses cils trop blonds, papillons de nuit, cendres de charbon, brise soufflant sur une pleine lune ahurie, et il s'est levé pour enfiler un long manteau de cuir usé et acquiescer, les yeux posés sur l'habilleuse.

Devant les fenêtres palladiennes du hall, elle faisait les cent pas, les mains dans les poches de son imperméable qui tombait avec la solennité d'une tunique, levant la tête de temps à autre pour jeter un coup d'œil de l'autre côté de la vitre. Dehors, la foule de jeunes et de touristes était dense, un vent long à l'odeur de carburant décoiffait Caroline. Johnny n'a pas été surpris qu'elle lui prenne le bras, pas surpris non plus quand, une cinquantaine de mètres plus loin, tandis que les propos prétendument sincères de Johnny sur un frère junkie imaginaire détendaient l'atmosphère, elle a posé sur son épaule une tête pleine de flashs chromés et de tentations contre lesquelles elle ne semblait plus avoir la force de se battre. Il l'a enlacée pour s'apercevoir, un sourire imperceptible sur les lèvres, que son odeur de citron, de bonbon et de lassitude craintive, le bruit mat de ses pas et le reflet roux de la mèche tombant sur son nez le troublaient légèrement.

Ils ont longé des portières et des capots rutilants au milieu de silhouettes élégantes qui sortaient de bijouteries éclairées à giorno.

Dans les rues étroites et odorantes du quartier chinois, elle a jeté en vrac des impressions sur le milieu de la mode où perçaient une déception et une méfiance amusées. Si elle était déterminée à ne pas se laisser dépouiller par les manipulateurs qui salissaient le milieu, elle ne voulait pas perdre pour autant les liens de confiance qu'elle avait établis. Plus tard, au moment où la perspective changeante d'une ruelle piétonnière dévoilait un marché couvert de toiles blanches claquant au vent, elle a eu un sourire discret, serein, philosophe, et a évoqué, mi-honteuse, mi-émue, le repas offert par Johnny aux sans-abri. Il s'était bien payé sa tête. Mais peut-être ne se doutait-il pas que son stratagème ne l'avait pas tant froissée que perturbée : il avait remis en question l'image qu'elle avait d'elle-même. Et puis, a-t-elle ajouté, le regard lointain, le souffle profond, elle n'avait cessé de penser à son imaginaire tordu.

Tous les dix mètres environ, sous l'effet changeant de l'éclairage des lampadaires et des restaurants, entourée de bribes de conversations dans des langues toujours différentes, son visage se métamorphosait miraculeusement, prenant Johnny de court : d'abord altier, il est devenu délicat et quelque peu souillé, comme celui d'une orpheline, pour ensuite, le nez s'allongeant, les yeux globuleux, ressembler à la mine défaite d'une chanteuse rock sur son déclin. Plus loin, des néons intermittents rouges et verts ont enflé ses joues, lui ont donné la tête rondelette d'une mère trop aimante. Aussi Johnny écoutait sa voix de flûte, tout aussi changeante, qui échafaudait des palais de sel, des places aux promenades lézardées et envahies par les ronces, des villes blanches tombant en ruine.

Ils se sont penchés pour franchir la porte basse d'un restaurant. Le serveur les a placés tout au bout d'un couloir, où les murs étaient décorés de masques de dragons. Installé en face d'elle, les coudes posés sur la nappe écarlate, le bruissement lointain des conversations lui parvenant comme un murmure sensuel, Johnny a pris une voix grave, sincère, pour se lancer corps et âme dans le jeu des confidences, revenant, puisque c'était nécessaire, sur la disparition de son père pendant la dictature militaire au Chili, décrivant villa Grimaldi, centre de torture où son paternel avait vraisemblablement péri, et développant le thème de l'exil, cet espace imaginaire, cet entre-deux fuyant, et les affres qu'il provoquait ; mais ses mots, concrétions pierreuses, sons disparates et absurdes, mouraient aussitôt qu'ils sortaient de sa bouche pour tomber sur la moquette comme des oiseaux assassinés, étranglés par l'exagération et les mensonges accumulés au fil des ans. Le regard embué, elle le suivait avec l'attention soumise d'une femme d'un autre temps, et cela était à la fois pathétique et touchant : elle fondait devant le personnage qu'il aimait le moins incarner.

— Je veux simplement te dire ceci, a dit Johnny en sautant à pieds joints dans ce rôle sentencieux. Depuis que je te connais, j'y vois plus clair dans ma vie.

Il a parcouru du regard le fabuleux duvet roux doré au-dessus de ses tempes, la rondeur asiatique de ses pommettes, sa bouche dont le rouge féroce contrastait avec le blanc de sa peau au point qu'elle semblait flotter librement devant son visage.

— Caroline, tu commets une erreur en t'intéressant à moi. Ne me dis pas plus tard que je ne t'ai pas prévenue.

Il lui a pris les mains, les a serrées vigoureusement. Les traits de Caroline se sont affaissés, comme des larmes sinueuses.

— Tu vas peut-être me trouver idiote, mais je ne cesse de voir ton visage sur les murs de ma chambre, pendant les séances de photo, dans la rue... C'est plus fort que moi.

Johnny a éprouvé une démangeaison aux avant-bras. Se sentait-il ému ? Vaguement dégoûté ? Peiné, puisqu'il savait que, malgré sa bonne volonté et la comédie qu'il se jouait, il ne serait jamais amoureux d'elle ?

— Et toi, a-t-elle repris, ça t'arrive de penser à moi ?

Les répliques s'enchaînaient, attendues, entendues mille fois, mais vraies et remuantes.

— T'es sérieuse, là ? Tu me poses sérieusement la question ?... Qu'est-ce que tu crois ?... Bien sûr que je pense à toi.

Un élan vital l'a soulevée. Elle a baissé le front.

— T'es gentil, mais ne joue pas avec ça. Je ne te crois pas.

Aculée au mur d'une forteresse cernée de toutes parts, elle attendait, vaillante, fière, effondrée, la fusillade.

— Je t'assure, je pense à toi. Comme à une femme que je *voudrais* aimer.

Ce n'était pas le fait que les répliques s'emboîtaient les unes dans les autres qui le troublait, mais son incapacité de prédire la phrase suivante, même quand il s'agissait des siennes.

Elle a relevé la tête, le visage contracté, en attente.

— Je sais que ça n'a pas de sens de tomber amoureuse de quelqu'un comme toi. Mais ce que j'aime chez toi, ce n'est pas ce que tu crois. Peut-être même que c'est tout le contraire.

Oui, Johnny aurait furieusement voulu l'aimer pour chasser à jamais de son esprit la chevelure épaisse et noire de Nayla, les paupières ensommeillées, lasses de continuer à battre la mesure de la vie dans un monde déserté par le sens. Il aurait voulu annihiler, dématérialiser ce visage osseux que Nayla paradait le long des ruelles plongées dans la nuit dense que seuls des yeux de félins venaient perturber. Il s'en voulait presque de ne pas l'avoir encouragée d'un signe de tête, d'un froncement perplexe des sourcils, quand elle cognait à sa porte et menaçait d'avaler une dose létale de comprimés d'ezquétéré. Il a eu la certitude qu'elle lui ôterait tout un poids de la conscience le jour où elle mettrait fin à sa vie, et qu'il constaterait le décès comme si c'était celui d'une connaissance qu'il aurait perdue de vue.

Il s'est avancé vers Caroline pour enfoncer la langue dans sa bouche, parfumée d'une essence de citron, et quand il a empoigné sa nuque, elle a gémi en vidant ses poumons de leur air, ce qui a fait apparaître à l'esprit de Johnny, distinctement, s'ouvrant et se refermant, vierge de tout poil, ridé comme un abricot sec, son petit trou du cul.

9

DEPUIS UN moment déjà, oubliant d'allumer, Antoine se tenait devant une des fenêtres du salon. Après chaque coup de tonnerre, il voyait l'air en alerte, l'avancée des nuages pourpres au-dessus de la place Vendôme, les badauds s'éparpiller en tous sens.

Il a entendu la clé tourner dans la serrure, puis des pas et une valise aux roues mal huilées. La silhouette grise, quelque peu menaçante de Nayla est apparue dans l'embrasure de la porte. Elle a maudit le trafic parisien, lui a demandé depuis combien de temps il était arrivé en ville, sans lui laisser le temps de répondre : était-il seul ? Il a hoché la tête pour dire oui.

Nayla a défait son imperméable pour se laisser tomber sur le canapé en lui prenant le bras. Épaule contre épaule, ils regardaient devant eux, silencieux, et il pouvait presque entendre le fil orageux de ses pensées.

Elle a appuyé la tête contre le dos du canapé, a soupiré profondément. Elle sentait le cigare, les caresses hypocrites, la lassitude apprivoisée de journées éprouvantes. Peut-être songeait-elle à l'invincibilité de la vanité mâle, à la « collaboration » féminine, à ce monde immuable avec lequel elle se trouvait en porte-à-faux. Elle a alors placé la main d'Antoine à l'intérieur de sa cuisse, a rivé ses yeux au plafond que blanchissaient de loin en loin les éclairs. Il a lissé la texture quadrillée du pantalon avec patience et dévouement, tandis que, sur la vitre, la pluie s'abattait férocement comme des poignées de sable. Sous ses phalanges, Antoine sentait les petits muscles se tendre, et Nayla laissait échapper des soupirs d'aise, comme pour libérer une oppression morale. Il a déposé un chapelet de baisers sur sa tempe, a obéi aux ordres qu'elle lui communiquait en se mouillant les lèvres ou en fermant les yeux, et il s'est souvenu de ce qu'elle lui avait un jour confié, sans vouloir le provoquer, plutôt comme un appel à l'aide détourné qu'elle lui lançait : de plus en plus, pour jouir quand elle se touchait, elle s'imaginait des mains noircies par des flammes bleues, des petits orteils brunis par une explosion, les fibres rosées, violacées, de bras amputés.

Quand la sonnerie a retenti, Nayla a relevé la tête, et Antoine a retiré la main. Elle a croisé les jambes et a étendu un bras sur le dos du canapé, laissant à Antoine, même si elle était chez elle, le soin d'aller ouvrir.

Johnny se tenait sur le pas de la porte, un sourire équivoque aux lèvres. Il a serré l'épaule d'Antoine au passage et a immobilisé les roues de sa valise au milieu du salon. Dans la pénombre, il a salué Nayla d'un geste vague, comme intimidé ou peu intéressé par sa présence. En retour, elle suivait les gestes de Johnny sans vraiment le regarder.

Antoine a passé un bras dans le dos de Johnny, a souri excessivement pour laisser échapper un éclat de rire. Comment s'était passé son voyage depuis Londres ? Johnny s'est senti obligé d'inventer des anecdotes comiques avec des contrôleurs abrutis par la routine et des voisins de sièges, de jeunes Anglais aux vies pleines de promesses et d'ambitions qui lui auraient fait regretter son adolescence. Quand il a été à court d'inspiration, une pesanteur silencieuse, accompagnée du roulement de la pluie battante, est tombée sur la pièce. Ensuite, comme deux ombres hésitantes, deux solitudes se repoussant pour délimiter leur territoire, Nayla et Johnny ont échangé des informations qu'ils connaissaient déjà l'un et l'autre, se sont vainement tendu des perches, ont poliment acquiescé aux fins de phrases de l'autre. Tout près, le tonnerre a retenti au-dessus de l'immeuble.

Johnny s'est frotté le menton, a approché le nez de la figure d'une statue de femme. Nayla a détourné la tête comme pour colorer la pénombre d'un gris plus foncé et signifier qu'elle ne supportait plus ses gestes badins. Johnny s'est figé, a expiré par la bouche, soupesant, aurait-on dit, les avenues qui s'offraient à lui : continuer ses excentricités comme si de rien n'était, partir, chercher à s'expliquer, ne s'adresser qu'à Antoine. De profil, elle tapait du poing sur sa cuisse, l'aplatissait avec régularité, comme si elle frappait sur la tête de quelqu'un, comme si elle ne contenait qu'à grand-peine le vent furieux qui montait en elle. Johnny la guettait, parfaitement immobile, incapable de faire un pas, statue de chair et d'os, machine à respirer, avec des cheveux et des poils. Il a fait non de la tête, et Antoine a compris que son ami était en train de se convaincre de la folle intransigeance de Nayla, de sa paranoïa intraitable, de l'irréversibilité de la situation. Johnny s'est finalement dirigé vers le couloir menant à la porte, mais il s'est immobilisé.

Le regard obstinément posé sur lui, Nayla a alors murmuré d'une voix qui se voulait maîtrisée :

— Tu as tout détruit entre nous. Il ne reste plus rien…

Johnny a pivoté vers elle, il a presque eu l'air surpris et l'a scrutée comme pour tenter de trouver la réplique qui, plutôt que de les réunir, les aurait contraints à s'expliquer. Il s'est abstenu de la contredire, d'exposer son point de vue qui, il le savait, s'est dit Antoine, ne ferait qu'empirer les choses. Pendant ce temps, Nayla le toisait avec des yeux qu'elle s'efforçait de rendre rieurs et qui semblaient dire : « Hé, qu'est-ce que tu crois ? Que je vais pleurer pour toi ? »

— Ce n'est pas ce que tu crois, Nayla.

Johnny a considéré Antoine qui, les bras ballants, n'a pas bronché : il cherchait vertigineusement une manière de sauver les meubles.

— Tout est périssable, tu devrais le savoir, a dit Johnny.

— T'es qu'un minable, mon vieux.

Johnny a longuement considéré le miroir à l'extrémité de la pièce, comme s'il voulait s'y noyer. Chancelant, il a effleuré Antoine au passage, a agrippé sa valise avant de se perdre dans l'obscurité du couloir. La porte s'est ouverte, s'est refermée, et Nayla, de profil, un bras sur le dos du canapé, n'a pas bougé d'un centimètre.

10

DANS LA glace bordée d'ampoules, Johnny s'observait. Le reflet de la femme à la peau mate, aux cils crépus, aux lèvres enduites d'un rouge noir, le captivait. S'il avait pu, si seulement cela avait été possible, il serait passé de l'autre côté du miroir pour se coller contre elle, parcourir du bout des doigts cette figure surmenée et stupéfiante, glisser une main dans le décolleté plongeant de sa robe du soir. Était-ce simplement du narcissisme ou la recherche d'une sortie de secours au monde redondant où il évoluait ? Comment être certain que de l'autre côté du miroir les choses seraient mieux ? Pourquoi, de plus en plus, le moindre de ses élans partait-il de désirs sexuels, voire d'érections ?

Quand il a songé à l'excitation croissante qu'il éprouvait à la vue de têtes sortant de portières d'automobiles entrebâillées, de figures violacées et en sueur, aux yeux fixes derrière un plastique transparent, il s'est souvenu, en se regardant dans le blanc des yeux, d'un texte qu'Antoine lui avait lu récemment : « Les défilés spectaculaires, les manifestations sadiques et les ressources d'une idéologie qui donnait à la population le sentiment d'être supérieure au reste de l'humanité, lui procuraient assez de satisfaction pour compenser — du moins momentanément — le fait que sa vie était appauvrie matériellement, autant qu'intellectuellement. » Selon Antoine, il n'y avait qu'à remplacer les « défilés spectaculaires » par les programmes de télévision, les festivals et l'ensemble de ce qu'avait à offrir la société-spectacle dans laquelle ils vivaient, les « manifestations sadiques » par le rap revanchard, plein de ressentiment, les films gore et la pornographie aujourd'hui à la portée de tous, l'« idéologie » donnant « à la population le sentiment d'être supérieure » par le nationalisme, et le tour était joué : cet extrait d'Erich Fromm, un des grands spécialistes du nazisme, collait à merveille à leur époque. Non seulement ce que Fromm appelait la « peur de la liberté » persistait en Occident, mais ses habitants, selon Antoine, oscillaient continuellement entre masochisme et sadisme. Sinon, comment expliquer l'asservissement généralisé des masses ?

Mais Antoine ne s'arrêtait pas là. Il prétendait aussi que le matraquage publicitaire transformait nos envies de plaisir en élans de consommation, et que la consommation elle-même n'était rien d'autre qu'une activité qui servait à faire oublier la peur de mourir.

Ainsi, nos désirs ne nous appartenaient même plus. Qu'en pensait-il, lui ? Il lui semblait que ce type d'explications supposait une manipulation explicite des masses, ce qui à l'évidence n'était pas le cas en Occident. Lui, qui avait vu son père périr dans un centre de torture de la DINA, la police secrète de Pinochet, savait ce que c'était le fascisme, et cela l'indignait quand on en agitait le spectre pour sonner l'alarme devant la prétendue décadence des valeurs occidentales. Antoine ne tombait-il pas plutôt dans le péché mignon des intellectuels à l'ère des mass media, à savoir établir des liens « spectaculaires » pour se faire entendre à une époque où personne ne voulait leur prêter l'oreille ?

« Johnny ! » a tonné une voix amplifiée par-dessus les bips, évoquant des machines à inventer, de la musique électronique. Il s'est levé pour éteindre, les murs et le sol ont ondulé et, de l'autre côté de la fenêtre, là-bas dans ce monde irréel comme une transparence au cinéma, les auréoles des lumières de New York se sont agrandies. Dans le couloir de l'hôtel, par terre, deux hommes se mordaient, grognaient, égratignaient les fesses d'une blonde qui frétillait comme un poisson hors de l'eau.

Il a poussé une porte qui vibrait pour pénétrer dans une salle ovale à la lumière d'un bleu fluorescent. Au milieu de plantes transgéniques, langoureuses comme des algues, des couples noyés dansaient sans entrain. Par groupes de trois ou de quatre, des garçons et des filles confondus, riant aux anges, les yeux vitreux, se renversaient sur les canapés dans des poses d'abandon ou d'extase simulée. À une autre extrémité, dans une pénombre turquoise évoquant l'atmosphère froide, au ralenti, du fond de la mer, des dos arqués, des jambes nouées autour des tailles, des bassins aux mouvements réguliers, des mains posées à plat sur des cuisses velues, apparaissaient et s'évanouissaient comme les images d'un rêve. Johnny regardait tout cela avec lassitude, comme si à force de revoir les mêmes tableaux la fascination qu'ils exerçaient sur lui s'évanouissait.

Des mains froides qu'il a reconnues lui ont voilé les yeux. En se retournant, il a vu le regard suppliant de Caroline, et son débordement de joie l'a irrité.

— Où étais-tu ? lui a-t-elle demandé d'une voix où perçait une pointe d'inquiétude.

Elle l'avait fait appeler par le D.J., avait-il entendu ? Johnny a acquiescé, surpris qu'elle ne souffle mot sur la perruque et la robe qu'il portait, et croyant déjà reconnaître chez elle certains de ses tics.

Sans la quitter des yeux, il a plongé la main dans l'échancrure de sa propre robe pour en sortir deux comprimés d'ezquétéré. Il a montré l'éclat d'un sourire nonchalant et tiré la langue pour avaler un comprimé. Elle a souri à son tour, les lèvres fines fuyant vers le côté droit du visage, tandis que, sans trop y croire, il restait immobile, l'autre comprimé au creux de la paume, avec l'impression d'être un pédophile.

Elle a repoussé la paume ouverte de Johnny, et un lumineux silence est tombé entre eux. Il a alors compris qu'elle avait répété ce qui allait suivre, peut-être devant le miroir rond, semblable à un hublot, de sa chambre à Paris, peut-être dans les toilettes aux murs blancs et à la porte qui ne se verrouillait pas, chez ses parents à Genève.

— Écoute-moi, a-t-elle dit de sa voix blanche en approchant ses lèvres de l'oreille de Johnny. Je suis jeune, je sais. Je m'emballe comme tu ne t'emballes plus. Mon enthousiasme te met parfois mal à l'aise. Je te comprends, vraiment. Je sais qu'une partie de toi tolère, parfois même apprécie ma personnalité. Tu aimes, je crois, mes yeux admiratifs posés sur toi. Peut-être sans t'en apercevoir, tu t'es attaché à ce que tu appelles sans doute, sans me l'avouer, ma « candeur ».

Elle a marqué une pause.

— Je ne suis ni candide ni innocente, lente peut-être, peu expérimentée assurément. Écoute-moi bien, je sais — et je le dis en étant consciente que ces choses-là ne s'avouent plus — que nous sommes seuls, fatalement seuls. Je sais qui tu es, ce que tu fais. Laissons de côté les jeux de l'amour et de l'amitié, ces mots trop chargés, usés à la corde. Oublions tout ça, veux-tu. Je te tends *naïvement* la main, Johnny, même si nous sommes voués à déraper. Voilà, j'ai besoin de toi.

Johnny hochait la tête, un sourire méfiant sur les lèvres. La petite tournait bien ses phrases, elle savait remuer son interlocuteur. Où avait-elle appris cela ? Une tierce personne se cachait-elle derrière cette déclaration ? Ce n'était pas impossible. Il n'empêche qu'à l'observer, elle et sa franchise triomphante, l'envie lui est venue de tourner les talons et de la quitter d'un pas lent mais sans appel, pour effacer la niaise espérance sur son visage, pour annihiler l'étincelle d'amour-propre qu'avaient engendrée les mots. L'envie lui est venue de la blesser en disparaissant à jamais, pour qu'elle apprenne la douleur du deuil. Il avait même envie de la gifler puis de contempler ses yeux clairs et vierges qui sortiraient de leur orbite ; et cette envie a tout naturellement glissé vers une autre, celle de la poignarder au front, aux cuisses, aux hanches, en riant comme un gosse, persuadé que l'amour et la mort n'étaient que des mots pompeux, tout juste bons à être raillés. Rien de cela ne lui faisait plus peur, tout lui semblait plausible. Il l'a enlacée, a senti les mains avides de la fille rouler sur son dos, et s'est dit, sans remords, sans pitié, qu'il avait la vie devant lui pour la modeler à son image, pour l'inventer comme il avait un jour inventé Nayla.

Par-dessus l'épaule de Caroline, Johnny a cru apercevoir la silhouette mauve et verte de Nayla, qui donnait l'impression d'être ballottée par les spots fugaces. Bientôt, elle a disparu dans un nuage fantasque de Minotaures et de licornes.

Caroline s'est blottie contre Johnny, a plaqué ses lèvres humides sur sa bouche. Elle lui massait les épaules, l'implorait de ses yeux fixes. Elle lui bécotait le cou, la poitrine, l'intérieur des avant-bras. Johnny a senti qu'il se liquéfiait, qu'il coulait comme une eau limpide. Le bout des cheveux de Caroline tombait sur son visage comme une pluie capricieuse, tandis qu'elle glissait au-dessus de lui avec l'aisance d'un hippocampe, dégageant une odeur d'eau salée. Une petite langue malhabile a titillé son nombril. En fermant les yeux, il a vu un paysage matinal et délavé : autour d'un lac où se reflétaient des nuages évanescents, des arbres nus se fondaient dans le gris décoloré du ciel. Bientôt, une odeur capiteuse, semblant provenir des entrailles de l'océan, l'a préparé au picotement des poils humides s'abattant sur son visage. Il a tenté d'oublier où il se trouvait, cela l'émoustillait. Au moment où elle a lapé la racine de sa bite, au moment où il s'est massé les avant-bras pour se prémunir contre les frissons, il a songé à la guider, à lui enseigner l'art subtil du pied de nez à la mort, mais des milliers de piranhas lui bécotaient le membre, et il n'arrivait à penser qu'à cette voisine d'Antoine, cette vieille dame au dos voûté, qui de temps à autre levait la tête pour montrer ses yeux injectés de sang, ses lèvres gercées et son sourire hideux.

COLIN LA menait par les hanches, lui aplatissait la poitrine, tandis qu'ils dansaient au milieu d'autres couples. Il souriait pour tout et pour rien, feignait de ne pas être incommodé par la sueur qui mouillait son front, exhibait son sempiternel air de fausse modestie. Elle lui a glissé à l'oreille qu'elle était ravie qu'il ait pu venir à New York. Les gestes souples et galants, il se donnait beaucoup de mal pour se montrer à la hauteur. De temps en temps il laissait entendre, quand il approchait les lèvres de son oreille tout en caressant le bras de Nayla, qu'elle n'avait plus rien à craindre, qu'il ne la quitterait plus et que jamais ses attentions ne deviendraient oppressantes.

Plus tôt, Nayla lui avait donné rendez-vous au bar de l'hôtel. Elle avait compris, quand il lui avait fait la bise, qu'il s'était astiqué le corps d'eau de Cologne, qu'il avait consciencieusement choisi, après moult hésitations, le veston bleu roi en velours qu'il portait et qui lui donnait un air sympathique de prince débauché. Assis à un tabouret, il prenait une gorgée de champagne, tout en la reluquant, sans doute tiraillé entre l'envie de se hisser très haut à ses yeux et celle de passer un doigt victorieux entre ses fesses. Au bout d'un moment, malgré des efforts réels et touchants (il clignait des paupières comme s'il avait une poussière à l'œil, secouait longuement la tête), les images obsédantes d'orifices humides s'ouvrant et se refermant, se noyant dans un triangle de poils, ont semblé l'emporter.

Maintenant, affalés sur un canapé, entourés d'une profusion de plantes grimpantes, ils se bécotaient le cou, se massaient les flancs et les hanches, cherchaient sous les vêtements des pans de peau ardente et lisse. Lorsque Nayla lui a serré, poli, lubrifié le sexe, Colin s'est efforcé de conserver une assurance zen. Si bien qu'au moment où elle lui a ordonné d'ouvrir la bouche, il lui a été impossible de ne pas avaler le comprimé d'ezquétéré. Un éclair de tristesse effrayée est passé sur son visage. Elle s'est penchée pour déposer un baiser sur ses lèvres entrouvertes.

Par la suite, elle lui en a voulu de prendre un si

grand plaisir à violer l'espace qui les séparait. Il semblait lui dire, si elle se fiait aux mouvements irréguliers de son bassin, qu'il consentait à être son faire-valoir, son pantin, à la condition qu'elle cède ce qu'il cherchait. À mesure qu'il portait des coups lents, dramatiques, il donnait l'impression d'avoir de moins en moins prise sur son désir, de livrer un combat perdu d'avance contre les démons qui montaient à l'assaut de son crâne par bouffées ravageuses. Bientôt, ahuri, il a tenté de chasser d'un rire gras l'emprise quasi électrique de l'ezquétéré, ne s'apercevant pas que ce rire était lui-même un effet de l'hallucinogène. En nage, étouffant ses râles, il a agrippé les épaules de Nayla et s'est effondré. Elle est restée immobile : son sexe la démangeait, la moiteur du corps de Colin lui levait le cœur.

Elle a eu tôt fait de reconnaître au loin Caroline, à califourchon sur le ventre de Johnny qui avait gardé sa perruque et ses habits de femme. Au moment où la fille s'est mise à sourire inutilement et à passer un doigt railleur sur les mèches mouillées de Johnny, Nayla a repoussé le corps déjà somnolent de Colin pour sortir sur la terrasse. L'air a gonflé son pantalon, le bruit sourd de New York a empli ses oreilles. Elle s'est approchée de la rampe : de petites lumières jaunes et rouges avançaient lentement, là-bas, au fond du précipice, comme dans un tableau de Mondrian. Elle a serré les poings et a fermé les yeux pour tenter de comprendre d'où lui venait cette violente animosité qui faisait trembler ses bras. Elle a secoué la tête, un tumulte de pensées l'a envahie. Au bout d'un moment, elle s'est dit que oui, Johnny avait tué l'illusion, l'accord tacite, vital. Il avait balancé cet accord comme pour se libérer ; oui, c'est ça, il croyait sans doute s'être libéré. Elle n'a pas réussi à chasser son malaise de ce rire silencieux qui l'avait tant de fois sauvée. Seule au milieu de cette ville qui lui avait toujours semblé sadique, la blouse agitée par le vent, elle s'est efforcée de tenir à distance le désespoir tranquille qui menaçait de la submerger, en ravivant le souvenir d'un Johnny plus jeune, assis bien droit sur une chaise en osier, la tête pleine de projets, la poitrine bombée d'une confiance démesurée, les lèvres émues par la promesse du jour où le monde serait à ses pieds. Elle s'est demandé, dans un éclair de lucidité, ce qui pouvait bien succéder au mépris, au jeu macabre qui la maintenait en vie depuis si longtemps ; et elle a compris, étonnée, que seul un état de grâce, un authentique état de grâce, pouvait survenir désormais, car, dans les moments décisifs, où l'urgence d'agir supplante toute tergiversation, les événements s'enchaînent avec le brio implacable d'une fiction.

Elle allait rebrousser chemin quand elle les a vus surgir à l'autre extrémité de la terrasse. De sa démarche de jeune femme décidée à être heureuse, Caroline avançait entre les poutres, sous les attaques du vent, et jetait des regards taquins derrière elle. Elle a appuyé les fesses contre la rampe, et Johnny s'est avancé vers elle, pieds nus, regardant à la ronde, feignant un émerveillement intimidé. Elle lui a pris les mains, lui a relevé le menton. Ils se sont esclaffés, et Nayla a distinctement entendu leurs rires argentins, ruisseau pur à l'abri d'un monde poli et carré. Elle a senti une démangeaison de honte sur ses joues, son cou, sa poitrine : et si elle s'était trompée sur son compte ? Et si elle ne l'avait jamais vraiment connu ? Elle leur a tourné le dos pour fermer les yeux et revoir Johnny et ses yeux doux, innocents, le dos légèrement courbé, des gouttes d'argent perlant sur ses tempes, ne se doutant pas, et c'était là toute la beauté du souvenir, qu'il allait accaparer ses pensées pour les huit années à venir, ce jour étrange où ils s'étaient rencontrés aux abords d'un lac encerclé de chalets suisses.

Elle a fixé le vide enflé de sons massifs, empli d'air granulé, compartimenté par la perfection lisse des buildings, vies broyées, vies mirifiques. Elle tentait de repousser tout sentiment de jalousie ou d'affliction, non pas tant pour écarter la souffrance que pour prolonger cet espoir naissant, cette sérénité au-delà de la colère, de la frustration, du désespoir, de la démence. Elle a regardé dans leur direction, ils avaient disparu ; il ne subsistait que les derniers tracés fugitifs de leurs gestes harmonieux.

DES VOLUTES de fumée se dégageaient de l'entrelacs des corps assoupis par terre ; les gémissements s'étaient dissipés en rampant comme des crabes sous les canapés. Un maigre à la tête peroxydée, à moitié ivre, improvisait au piano sur un air de Thelonious Monk, comme pour faire oublier le tintamarre qui avait précédé. Le jour commençait à poindre à travers les fenêtres embuées.

Par groupes de trois ou quatre, on se levait au ralenti, on boutonnait son chemisier, on bâillait, amusé par les pertes d'équilibre. On se consultait du regard, on échangeait des informations pour connaître le trajet menant à la résidence du Connecticut où avait lieu la fête privée. Deux patrons, quinquagénaires basanés aux chemises orange, ont jeté des coups d'œil anxieux sur leur montre et ont brandi la main en quittant la pièce. Sans doute parce qu'elle n'avait pas fermé l'œil de la nuit, Nayla avait l'impression d'avoir une longueur d'avance sur ses gestes, voire d'être en mesure de prédire ce qui allait se passer. Elle avait la conviction, au bout de chaque instant écoulé, non seulement d'avoir deviné les circonstances entourant un fait anodin comme une main féminine relevant des mèches folles ou un phrasé ironique de piano dans les aigus, mais aussi d'en avoir saisi le sens profond. Elle a balayé la salle du regard et s'est sentie planer, dans une euphorie malicieuse, au-dessus des meubles, persuadée de la justesse de ses intuitions.

Elle a effleuré du revers de la main la joue en feu de Colin, qui, recroquevillé, a cillé, les lèvres tordues par le sommeil, comme s'il voyait s'éteindre derrière ses paupières un rêve délicieux. Sans doute pour tenter de sauver les contours évanescents des images, il a passé un bras dans le dos humide de Nayla, a épanoui un sourire d'extase éreintée. Mais elle l'a secoué et lui a chuchoté, d'un ton irrité, qu'il fallait partir.

Nayla a traversé la salle pour emprunter le couloir menant aux chambres. Elle a hésité devant une porte semblable aux autres, mais qui brillait d'un éclat menaçant et vibratile. En la poussant, elle a aperçu la jeune fille assise sur le lit, de profil, le visage pâli par les rayons de l'écran cathodique, les mains posées sur un genou, savourant ce moment qu'elle avait dû espérer toute la nuit, s'interdisant de tourner la tête vers Nayla parce que la pénombre, les rideaux tirés, la tapisserie bordée rayée, les meubles des années 20, du capitalisme new-yorkais joyeux et bon enfant, lui conféraient un pouvoir, une supériorité morale dont elle était trop consciente pour ne pas en user. Ce n'est que lorsque Nayla s'est approchée de la tête ébouriffée et à moitié enfouie sous les couvertures de Johnny, dont la main pendait hors du lit, que Caroline a daigné poser les yeux sur elle.

— Johnny, tu te lèves ?... Johnny ?

Il a ouvert un œil et, en voyant Nayla agenouillée à côté de lui, a réprimé un geste de recul.

— Johnny... Si tu veux, je vous conduis à la fête.

Il l'a longuement considérée, puis s'est relevé sur un coude et s'est frotté les paupières. Il lui a dit en bâillant :

— C'est pas la peine. Je prends ma voiture.

Caroline a éteint la télé, la forme des objets est redevenue visible au bout d'un moment, et comme pour révéler une autre facette de sa personnalité :

— Sois pas idiot. T'es pas en état de conduire.

Johnny fixait d'un air hagard les plis des draps. Il

n'a pas bronché quand Caroline s'est glissée hors du lit, mais s'est résigné à l'imiter quand elle a commencé à se rhabiller en silence, devant les rideaux où la lumière du jour s'infiltrait comme un liquide. Ils ont emboîté le pas à Nayla et, quand elle a relevé Colin en l'empoignant par la ceinture, Johnny l'a aidée sans rouspéter. Dans l'ascenseur, Nayla n'a pas souri quand Colin s'est blotti contre elle, davantage pour prendre appui que par accès de désir. L'air frigorifié du stationnement, le bourdonnement de guêpes des néons à la lumière lugubre et les taches sur le mur en béton qui rappelaient des crânes allongés, l'ont plongée dans une morgue gigantesque.

La vitre de la portière descendue, elle a étendu le bras, la fente de la machine a avalé le ticket et la barrière s'est levée. Dehors, des feuilles de journal dansaient en tournoyant miraculeusement au-dessus du trottoir, tandis que le jour naissant nettoyait la ville.

Elle a quitté Manhattan sans trop de mal, les chaussées et le pont étaient étonnamment dégagés. Comme ils traversaient une banlieue cossue, Colin s'est mis à cogner des clous, la tête tournée vers elle, le bras endormi collé à la poitrine, tel un chien blessé à la patte. De loin en loin, quand elle levait les yeux vers le rétroviseur, elle croisait le regard vif de la fille. Et si cette dernière, exactement comme elle, était en train de comprendre, dans un moment inédit de clairvoyance, que le passé n'existait qu'en se mêlant au présent, que l'avenir, surgissant en coup de vent, cape sur le dos, était un arriviste jetant de la poudre aux yeux ? Ne sachant trop pourquoi, elle s'est revue sur le quai de la gare ce jour d'hiver 1986, debout sous un crachin qui faisait luire l'asphalte, espérant repérer sa mère qui avait refusé de venir lui dire au revoir, car elle s'opposait à ce qu'elle embrasse une carrière de mannequin à Paris. Elle s'est souvenue d'avoir lu dans le train que la navette spatiale Challenger avait explosé en plein vol, et de s'être demandé, superstitieuse, si cela n'était pas un présage du parcours qui l'attendait. Tout comme elle avait refusé de croire à une simple coïncidence le jour où elle participait à son premier grand défilé dans la cour carrée du Louvre, et que radios et télévisions avaient annoncé la mort de Simone de Beauvoir, femme dont l'intransigeance la séduisait, mais qu'elle trouvait anachronique, incompatible avec ses propres désirs.

Elle a regardé dans le rétroviseur : Johnny dormait, le front contre l'épaule de Caroline. Sur l'asphalte, des taches de pluie formaient des Madagascars et des Amériques du Sud. La route, flanquée de part et d'autre d'une muraille d'arbres dépareillés, se creusait droit devant comme une tranchée menant à un champ de bataille.

Nayla a accéléré pour dépasser une roulotte, la fille s'est figée. En revenant sur la voie de droite, elle a maintenu la même vitesse. Une vue en plongée sur une salle de bal viennois lui est venue à l'esprit : sous des lustres de cristal, des femmes balayaient le parquet rutilant de leur ample robe. Puis elle a vu en pensée des pêcheurs au visage hâlé tirer hors de la mer un espadon récalcitrant, des dômes dorés de palais byzantins surgir d'eaux léthargiques, un défilé de centenaires nus soutirer à une foule des applaudissements à tout rompre... De nouveau elle a levé les yeux vers le rétroviseur : roide, les yeux lézardés par de fines lignes rouges, les mains agrippées, à l'instar de pinces de crabe, au dossier du conducteur, la fille lui envoyait son souffle humide à l'oreille. Nayla a aperçu au loin un poids lourd dont le tuyau d'échappement chromé et vertical expulsait de petits moutons noirs qui se dissipaient aussitôt. Les lignes blanches se perdaient de plus en plus rapidement sous le capot luisant, sur lequel, par contraste, des nuages d'humeur changeante se déplaçaient au ralenti. Une pince de crabe a glissé sur son épaule quand la voiture s'est mise à réduire l'écart qui la séparait du camion. À présent, un jeune homme coiffé d'un tarbouche accordait un luth à l'ombre d'un olivier, un vieillard au collier de barbe mal taillé et à la figure figée dans une expression douloureuse se masturbait au milieu d'une plage désolée où errait une brume vaporeuse, des têtes de veaux jonchaient le sol trempé de sang d'un temple, des manifestants se pliaient en deux pour éviter une rafale de mitrailleuse... Le poids lourd s'est écarté en exhalant un nuage gris, un cri perçant lui a déchiré les tympans, et l'orignal est apparu, la peau noirâtre et lustrée, la ramure en désordre, la paupière lourde. Le regard imperturbable de l'animal a croisé le sien, les doigts de Nayla ont légèrement tourné le volant, et ce dernier, comme animé, lui a échappé des mains. Elle a senti sa tête heurter le plafond, un genou contre le ventre, un goût de sang et d'amertume aux lèvres, un tourbillon vert et vicieux de l'autre côté de la vitre. Elle s'est dit : je suis vivante, vivante. Des craquements de ferraille et de plastique pulvérisés, des voix que le passage ralenti du temps semblait étouffer, des geignements brisés, la ceinture de sécurité qui l'étranglait, la peur que ce tourbillon brutal ne cesse jamais, l'oreille aplatie contre une vitre froide.

Quand elle est revenue à elle, elle a senti des coups violents au thorax. Elle a rentré la tête dans les épaules, a levé les bras pour se protéger, mais des mains ont agrippé ses poignets. En ouvrant les yeux, elle a aperçu la figure allongée de Caroline à quelques centimètres d'elle, qui s'approchait, les yeux fermés, les lèvres formant un O. Qu'est-ce que… Lui faisait-elle le bouche-à-bouche ? Nayla a été prise d'une quinte de toux silencieuse, et Caroline s'est agenouillée, les mains sur les cuisses, le regard acéré posé sur elle. Au bout d'un moment, des sanglots ont secoué les épaules de Caroline ; sa tête se découpant sur le ciel gris, elle s'est mise à lui marteler le ventre, les jambes, les seins. Cette fois, Nayla n'a pas bronché : les sons qu'émettait la bouche qui s'ouvrait et se refermait devant elle ne lui parvenaient pas. Elle a tenté de se lever ; incapable, elle a rampé. Elle a porté ses mains à ses oreilles comme pour amplifier les bruits, et ne constatant aucune différence, s'est sentie défaillir. Elle a revu la grimace équivoque, exprimant à la fois la douleur et le plaisir, du vieux accroupi sur le sable blond d'une plage, le sexe entre les doigts. Elle a aperçu l'accordéon de ferraille, les vitres brisées et, sous une roue disloquée et tordue, Colin qui se tenait un genou à deux mains, le front ensanglanté, le visage absent. Fébrile, elle a regardé autour d'elle, une douleur l'obligeait à pencher la tête, et elle a aperçu Johnny en bordure de la route, là-bas, tout en haut, dans une posture harmonieuse, les jambes bien alignées, les mains symétriquement ramenées sur le ventre. Elle s'est laissée tomber comme raide morte, ne se souciant plus de la fille qui, à quatre pattes, le visage mouillé et défait, n'émettant toujours que des pleurs silencieux, tirait sur le bas de son pantalon. Elle a cherché autour d'elle un objet tranchant pour s'ouvrir les veines, mais elle ne voyait que de l'herbe mouillée, de l'herbe à perte de vue et, plus loin, des arbres hauts au tronc noir s'érigeant comme un amas ondoyant de feuilles rouge sang, sur un fond de ciel aussi monotone que le bourdonnement continu de ses oreilles.

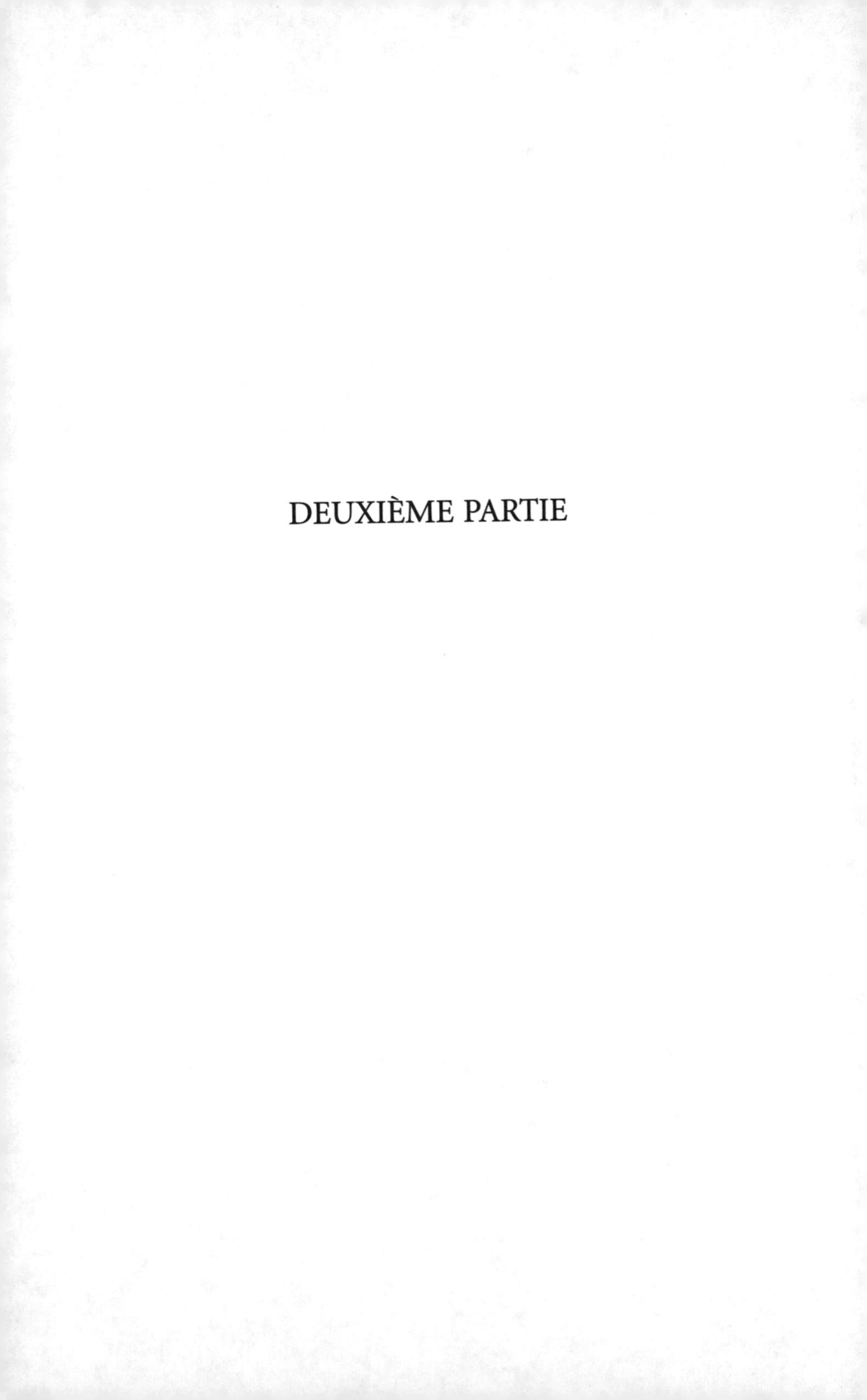

DEUXIÈME PARTIE

1

IL SE balançait sur une chaise au rythme de l'air de cumbia que crachait la radio sur le comptoir et relevait la tête de temps à autre en se demandant de quel côté du paysage embrasé allait surgir Susana. Il la revoyait en pensée aller et venir derrière le comptoir, et il lui suffisait de tendre un moment l'oreille pour percevoir ses soupirs songeurs et humides, ses coups de torchon frénétiques, touchants dans leur résignation appliquée, sa manière amusante de prononcer son prénom : *Antouane.* Quelque peu étourdi, il suait, pourtant bien à l'abri du soleil, tandis que le ventilateur au-dessus de sa tête s'essoufflait à déplacer l'air lourd et suffocant. Il a vidé son petit verre de pisco, avalant avec une grimace cet alcool auquel il n'arrivait pas à s'habituer, et a regardé dehors, les yeux gênés par la lumière ardente : abandonnée sur un monticule, dévorée par la rouille, une petite Ford semblait baignée d'une fine pluie.

Aujourd'hui, le désert l'accablait. Il s'est souvenu, non sans nostalgie, de ses premiers jours en ces lieux et il s'est vu avec netteté — comme s'il pouvait tendre le bras pour passer une main dans le halo de sa silhouette — se pencher sur un caillou ou pivoter sur lui-même, les mains dans les poches, le visage émerveillé. Il s'est vu suivre du regard un nuage défait et fantaisiste, chapelet lumineux posé là par la course hésitante d'une avionnette perdue ou, peut-être, qui sait, par la miséricorde d'un dieu hasardant enfin une manifestation.

Depuis des semaines, il ne portait plus de montre, et les jours s'écoulaient semblables aux précédents, marqués au fer de la même lumière fiévreuse. Sans se l'avouer, il espérait que durant une de ses promenades dans le désert lui viendrait à l'esprit, comme une révélation, un autre motif que celui d'avoir suivi Nayla à cause de ce mélange confus d'amour et d'amitié.

Il s'est levé et s'est dirigé vers l'entrée du boliche. Il a appuyé une épaule contre l'encadrement de la porte pour suivre du regard la file d'Indiens qui gravissait au ralenti, le front baissé comme s'ils se prosternaient, une colline de terre craquelée, aride, rouge, derrière laquelle s'étendait un plateau solitaire et cruel. Tous portaient sur le dos des sacs de provisions ou des bébés, et les femmes, sous leur chapeau melon noir ou brun, les bras ballants, mâchaient pesamment des feuilles de coca. Il les a vus disparaître un par un derrière la colline qui se hissait à quelques centimètres du soleil, comme si le firmament ouvrait ses portes pour leur donner accès à un monde peuplé de divinités au visage de condor et de jaguar, et d'astres éclairant des vérités éternelles.

Une goutte de sueur a glissé le long de sa tempe jusqu'au cou. Il a tourné la tête pour apercevoir une petite silhouette qui flottait dans l'air aurait-on dit, tentant de venir à bout par ses enjambées pressées de la pente de terre battue, n'arrivant pas à se détacher des immeubles à deux étages de la petite ville de La Serena. Il a perdu de vue la tête de la jeune fille, l'a vue réapparaître au complet, plus grande, plus enjouée, vêtue d'une blouse blanche, comme elle remontait sur son épaule la fine courroie d'un sac à main noir.

Au moment de lui faire la bise, au moment où elle avançait vers lui son visage obstiné, souriant, encerclé par une profusion parfumée de boucles noires, Antoine a remarqué ses pattes-d'oie. Quel âge avait-elle ? Quel était son nom de famille ? Quelles vies antérieures avaient creusé ces petites rides ? Elle a caressé de l'index le menton d'Antoine, a planté un baiser moelleux sur sa bouche.

Depuis leur première nuit passée ensemble, dans la chambre au plafond haut de la pension, elle se permettait des gestes familiers comme celui-là, peut-être pour lui signifier qu'elle considérait déjà qu'ils formaient un couple. Il l'avait rencontrée alors qu'elle aidait à décharger des caisses de bière d'un camion, ici même dans ce boliche à l'orée de la ville, où ne s'arrêtaient que des camionneurs, des voyageurs en transit et des Indiens. Il avait vite compris qu'il devait se montrer galant : elle ralentissait devant les portes et restait debout devant sa chaise au restaurant. Bien que peu habitué à prodiguer ce type d'attentions, il s'en acquittait en se faisant l'effet d'un acteur pompeux, semblable à ceux des feuilletons à la télé que la patronne de la pension suivait religieusement. Depuis son arrivée au Chili, les exigences tacites de Susana lui donnaient l'impression d'avoir fait un voyage dans le temps, un saut en arrière d'une trentaine d'années, vers une époque aux mœurs moins relâchées. Cela avait quelque chose d'amusant et de sécurisant.

— Je suis passée à la pension, a-t-elle dit, mais tu venais de partir. En sortant, j'ai vu Nayla dans le patio. Enfin, je crois que c'était elle.

Susana a sondé les ombres pensives à l'intérieur du boliche.

— Elle était assise, les bras croisés. Elle regardait par terre d'un air absent.

— Il n'y a personne d'autre que nous deux à la pension. C'était sûrement elle.

— Elle n'a pas l'air bien, cette fille. Elle n'a pas l'air bien du tout.

Susana avait laissé tomber ces deux phrases d'une voix blanche, quelque peu craintive, puis, comme si l'état d'esprit de Nayla lui inspirait un sentiment d'impuissance trop grand, elle a détourné la tête et est entrée dans le boliche pour entamer une conversation avec la patronne (une dame ronde dans la cinquantaine, aux yeux exagérément grossis par des lunettes) à qui elle venait demander son chèque.

Antoine s'est assis sur le trottoir, l'auvent rouge lui faisait de l'ombre. Le soleil, petit, fougueux, n'avait pas bougé d'un centimètre. *Elle n'a pas l'air bien du tout*... Coiffée d'une coupe garçon, Nayla chaussait désormais des lunettes, avait troqué ses vêtements griffés contre des jeans et des t-shirts, arborait en tout temps un air de bête traquée. Dans les deux semaines ayant suivi son arrivée à La Serena, elle n'avait presque pas quitté les murs de sa chambre, non pas tant pour se recueillir que par simple désœuvrement — c'était du moins l'impression d'Antoine. Très tôt un matin, comme les étoiles disparaissaient une par une dans la clarté franche de l'aube, elle était venue cogner à la porte de la chambre d'Antoine, un sourire conciliant sur les lèvres, les yeux rivés sur les dalles rouge foncé, massant nerveusement ses bras de ses mains blanches et osseuses. Elle lui avait donné rendez-vous sous les arcades du cinéma pour qu'ils déjeunent ensemble à la cantine où l'on servait des plats végétariens, tout en lui laissant entendre, sans toutefois révéler pourquoi, qu'elle désirait passer le reste de la journée seule.

Depuis l'accident, elle n'avait soufflé mot ni sur sa surdité, ni sur ses intentions en se rendant au Chili. Ne voulait-elle pas de son aide? Avait-elle résolu de s'en sortir seule? Il y a trois ou quatre jours, elle avait repoussé le calepin à l'aide duquel ils communiquaient, car, avait-elle murmuré, elle devait s'habituer à lire les lèvres, que l'idée lui plaise ou non.

Quand Susana est revenue auprès de lui, un couple d'Indiens, vêtus de chandails de laine, suivis d'un garçon en tenue d'écolier, montaient vers le sommet de la colline rocailleuse.

— Ce sont eux, les Atacameños?

Susana a collé les seins au bras d'Antoine, a posé la tempe sur son épaule et a acquiescé. Il suivait les Indiens du regard, les considérant de la tête aux pieds.

— Ils viennent de très loin, de la frontière bolivienne, a dit Susana.

Elle a relevé la tête et a passé un index sur le bras d'Antoine. Et comme si elle avait deviné la question suivante, elle a dit d'une voix sans timbre :

— Ils transportent une plante qui sert à produire une drogue à la mode dans les pays du Nord. L'ezquétéré, tu connais?

Antoine a plissé les yeux. Le pas d'une lenteur infinie, les gestes empreints d'une résignation obstinée, ils ont disparu tour à tour derrière le sommet doré qui, sous les assauts du soleil et du ciel brûlant, semblait se trouver à portée de main. Décidément, plus rien ne l'étonnait...

Il a passé un bras autour des épaules de Susana.

— Ça te dirait d'aller au Café del Patio ce soir? La dernière fois, tu te souviens, c'était superbe avec ces amis à toi qu'on avait rencontrés.

Elle a continué de regarder droit devant elle.

— Ce n'est pas possible. On reçoit de la famille demain. J'ai promis à mes parents de les aider.

Antoine a haussé les sourcils et a souri. Oui, elle

lui cachait quelque chose, mais quoi ? Mine de rien, il a poursuivi en lui racontant des anecdotes sur le milieu de la mode (un mannequin refusait de poser les épaules nues sous les projecteurs et les réflecteurs, de peur de bronzer ; un styliste exigeait pendant ses séances de travail de l'eau strictement à 5 degrés Celsius), et elle a ri de bon cœur, les yeux traversés toutefois d'une lumière chagrine. Elle s'est levée et il l'a imitée. Comme pour ne pas l'oublier, elle a longuement parcouru son visage et a approché ses lèvres pour l'embrasser sur la bouche. Elle a effleuré la main d'Antoine du revers de la sienne, un doigt posé sur les lèvres. Il est resté immobile à observer sa silhouette qui devenait toute petite.

LE SENTIER sablonneux donnait du mal au pneu avant, tandis que le vent qui traçait des spirales invisibles l'échevelait et faisait claquer la jambe de son pantalon. Oui, elle était comme ce pneu, déviait continuellement, s'éparpillait, mais elle n'a pas laissé ces pensées l'envahir et s'est concentrée sur ses bras tendus vers le guidon, ses seins ballants sous le t-shirt de coton gris, le mouvement régulier de ses cuisses. À sa gauche, le ressac lustré de la mer apparaissait inopinément, couvrait des flots agités, dont la crête s'éparpillait sur le rivage, aussi baveuse qu'une omelette. Nayla a inspiré profondément, la mer sentait le sexe moite des hommes. Elle a fermé les yeux, le silence de la mer la protégeait, la tenait à l'écart de la fureur du monde.

Elle a remonté l'avenue Francisco de Aguirre pour saluer machinalement de la main, comme elle le faisait tous les jours, le vendeur de journaux dont on ne distinguait — à travers le carré par lequel il passait une main velue pour rendre la monnaie — que le scintillement narquois des yeux, la barbe à la Karl Marx et la casquette enfoncée jusqu'aux sourcils, et elle s'est souvenue du jour où, le nez froncé, il avait laissé entendre que le retour à la démocratie dans les pays d'Amérique du Sud au moment où prenait fin la Guerre froide ne pouvait être une simple coïncidence, c'était plutôt le relâchement relatif de l'emprise des deux grandes puissances qui l'avait permis, preuve que le libre arbitre, du moins sur le terrain politique, n'existait plus dans l'hémisphère sud. Le libre arbitre n'existait plus nulle part, s'était dit Nayla des jours plus tard, comme elle jouait aux échecs contre elle-même à l'ombre des acacias dans le patio de la pension. Il était incompatible avec les aspects rationnel et calculateur du monde d'aujourd'hui. Ne sachant trop pourquoi, elle avait aperçu, dans sa mémoire, penché sur elle, le visage tendu de Caroline, reprenant sa respiration, lui faisant le bouche-à-bouche. Elle, n'avait-elle pas usé de son libre arbitre ? Sinon, pourquoi avait-elle voulu la secourir ? Pouvait-on réellement qualifier son geste de don de soi ? Nayla n'arrivait pas à s'en convaincre. S'agissait-il de la parcelle infime, résiduelle, peut-être innée, de l'homme qui, dans des circonstances dramatiques, tend la main à l'autre entre la vie et la mort ?

Dans le centre, elle a emprunté une avenue traversée de guirlandes de fleurs où des palmiers hauts et des clôtures en fer forgé, pointant leurs flèches vers le ciel, voilaient la mairie et d'autres bâtiments publics aux colonnes lourdes, noirâtres, entourés de jardins tropicaux, exubérants, laissés à l'abandon. Des oiseaux déplumés sautaient d'une branche à l'autre, et elle a songé à l'âge d'or de La Serena, au temps où les mines d'argent faisaient briller comme des émeraudes les yeux des promoteurs anglais.

Quand elle a aperçu le véhicule de police vert et blanc, garé devant la façade, tombant en ruine, de l'église Santo Domingo, peut-être pour le plaisir de se faire du cinéma, elle a imaginé un cambriolage blasphématoire : des souliers vernis d'homme dévalaient un escalier en pierre, des torches éclairaient par intermittence la coupole sur trompes, les statuettes du Christ, censées retracer le long des murs les étapes marquantes de sa vie, amputées de leurs bras ou décapitées, gisaient sur le dos dans l'allée menant à l'autel. Mais déjà, au moment où elle longeait la terrasse du Gato Calavera, dont certaines chaises et tables empiétaient sur la place où s'affairaient des cireurs de chaussures, elle avait oublié la suite du scénario. Elle a traversé le centre d'ouest en est pour remarquer, en dépit de l'ombre opaque comme une mare que jetait une autre église, la rosée qui s'étendait comme du pollen laineux sur les bancs de la place d'Armes. Elle a attaqué la côte qui débouchait sur le désert, et c'est alors, tandis qu'elle vérifiait son angle mort et qu'à sa gauche les vendeurs du marché levaient les bras en vociférant des mots qu'elle n'entendait pas, qu'elle a vu un véhicule de police, peut-être le même, qui filait droit vers elle, les gyrophares allumés.

Elle s'est immobilisée devant le restaurant chinois, un pied sur le trottoir, la main appuyée au guidon. Le véhicule de police s'est lentement arrêté derrière son vélo, et un homme aux cuisses musclées, que moulait un pantalon beige, en est descendu en claquant la portière, calepin en main.

Penché sur elle, il s'est longuement frotté les mains gantées, les jambes bien écartées. Au bout de quelques secondes, Nayla a levé la tête vers lui, et son sang n'a fait qu'un tour : qu'est-ce que cela voulait dire ? Affolée et incrédule, elle a promené des regards autour d'elle pour aussitôt revenir à ces cils crépus, à ces yeux mi-clos, à cette bouche pulpeuse, à ce regard triste et ironique, qui évoquaient tant le visage de Johnny. Comment cela était-il possible ? Elle a ressenti tout d'un coup une fatigue extrême aux épaules et aux bras, comme si on venait de lui annoncer un décès. Elle a voulu rebrousser chemin, mais une main gantée a retenu le guidon.

Le policier lui parlait, un sourire caustique aux lèvres. Devinant ce qu'on lui disait plus qu'elle ne lisait véritablement les lèvres, elle lui a demandé plusieurs fois de répéter, sur quoi, le visage amusé, les gestes à la fois brusques et courtois, il lui a fait comprendre qu'elle devait sortir ses papiers. Il a feuilleté le passeport, a lu à voix haute les pays où elle avait séjourné et a sifflé d'admiration, une grimace équivoque sur les lèvres. Il s'est raclé la gorge, un poing devant la bouche.

— À La Serena, a-t-il dit d'un air quasi théâtral, détachant chaque syllabe, on se signe quand on passe devant une église.

Il a étendu le bras et a lissé sa chemise sur sa poitrine, comme pour enlever de petites saletés. Tout en la vrillant de ses pupilles acérées comme des lames de couteau, il l'a interrogée, tantôt de manière compassée et altière, comme si soudain il s'était rappelé le rôle que lui imposait son costume, tantôt d'un air décontracté et taquin, mimant quand cela s'avérait nécessaire, riant de ses propres exagérations. Sans trop comprendre, Nayla hochait la tête, tandis que défilait vertigineusement dans son esprit des images insolites de Johnny : il dormait la main dans la poche, pianotait debout, conversait à quatre pattes avec un chat croisé dans une ruelle.

Le carabinier a griffonné un mot et lui a tendu la feuille qu'il venait de détacher du calepin. Nayla a attendu que le véhicule s'éloigne avant de lire le message en espagnol : « Vous me faites penser à une jeune fille à qui j'ai enfoncé pendant trois mois des cigarettes allumées dans la matrice. Villa Grimaldi, ça vous dit quelque chose ? Bonne journée, mademoiselle. » Nayla s'est mise à pédaler, le poil des bras hérissé, le cœur battant la chamade. Autour d'une fontaine en forme de vasque, des gamins, torse nu, échangeaient un ballon de football. Elle a fermé les yeux et s'est efforcée de s'imaginer un passé dans une de ces maisons basses de couleur jaune ou orange, dont les volets fermés évoquaient des dizaines de sourires moqueurs, avec mari, enfants et petits bonheurs occasionnels. Au sommet de la côte, à bout de souffle, comme elle voyait apparaître et disparaître des cymbales noires et des étoiles blanches, elle a coupé à droite vers le désert.

Elle ne pensait qu'à ce cou large et hâlé, tuyau de terre cuite, à ces yeux projetant des éclats métalliques.

Le soleil a rapetissé comme si, satisfait, il prenait du recul.

Encore fiévreuse, en proie à des visions qui, par leur netteté, s'apparentaient à des hallucinations (une ballerine au tutu bleu ciel flottait au-dessus de la ville, des fourmis rouges s'avançaient comme une armée sous les draps), elle a su que les événements passés, tableaux rendus flous par la peur de la vérité, estompés par l'usure quasi organique de chaque réveil, la poursuivraient de moins en moins : l'odeur monochrome et perçante des médicaments, les murs jaunes de l'hôpital, Antoine affalé sur le fauteuil sous l'abat-jour de toile, ses allusions transparentes en vue de l'accompagner au Chili, la langue de bois des policiers affectés à l'enquête, la figure osseuse et stupide de Colin à qui elle avait avoué l'existence du jeu, pas tant pour l'annihiler que pour ne plus le revoir, Caroline de qui elle avait refusé les visites pour s'épargner ses bons sentiments, le soleil froid, les mines sévères, le jour des funérailles et, surtout, le remords qui, malgré tous ses efforts pour le chasser, la suivait partout comme une ombre délatrice.

La vérité crue, c'est qu'elle avait tué Johnny et devait apprendre à vivre avec ce fardeau pour le reste de sa vie. Elle ressassait cette pensée inlassablement, pour se sentir vivre, se ramener à sa basse condition de mortelle. En ce sens, sa surdité, totale, irrémédiable, n'avait pas grand-chose de révoltant.

Au loin, là où deux flancs de montagnes se dressaient face à face, tels des ennemis séculaires, elle a remarqué les taches ondoyantes formées par la troupe et les quelques curieux, sans doute des Atacameños, lesquels faisaient halte pour suivre les répétitions, les figures brunes, les regards indifférents ou railleurs. Le nez dans leur texte, les acteurs se croisaient, en tenue de ville, sans se regarder, levant le bras pour montrer le passage d'un oiseau, feignant le ravissement, tournant le dos aux autres, les gestes encore trop raides pour évoquer le cours indolent de la vie, a pensé Nayla. En la voyant, ils ont perdu d'un coup leur air figé et sentencieux de conquistador et sont venus lui faire la bise, accolades et sourires complices.

Elle avait rencontré la troupe il y a un peu plus d'une semaine. Installée au fond du Gato Calavera, devant un miroir craquelé, elle relisait le roman de Johnny qui avait pour cadre La Serena, quand quatre jeunes dans la vingtaine, deux filles et deux garçons, avaient cerné la table ronde où refroidissait son café. Les yeux malins, une gêne amusée gonflant leurs pommettes, un des garçons posant les coudes sur la table, ils s'excusaient de l'importuner comme ça, ils l'avaient aperçue à quelques reprises déjà. Elle avait d'emblée envié leur enthousiasme, admiré leur insouciance, aimé leurs rires adolescents.

Le seul théâtre de la ville avait refusé leur projet de monter *Tres días de ausencia*, un drame historique méconnu sur la conquête espagnole. « En raison de leur inexpérience », lui a fait comprendre la plus expressive de la bande, levant les yeux au plafond, affectant la mine implacable d'un fonctionnaire de la culture. Plus tard, cette même jeune fille, vêtue comme les gitanes que Nayla croisait sur les places, avec une longue robe indienne, chemise rayée d'homme et foulard de soie, a expliqué, en griffonnant sur des bouts de serviettes en papier, qu'ils voulaient provoquer chez le spectateur une « prise de conscience » en faisant alterner « distanciation » et « identification ». Au bout d'une demi-heure, tandis qu'ils étaient toujours attablés autour d'elle, les gestes emphatiques, elle a compris que sa surdité ne les avait pas même fait sourciller. Elle a alors vu, tournées par une main invisible, les pages du livre de sa vie sauter un, deux, trois chapitres, et une joie intense comme une coulée de miel est descendue en elle jusqu'à son ventre. Après d'autres expositions brouillonnes et enflammées de leur conception du théâtre, de la pièce qu'ils se proposaient de monter, elle s'est laissé gagner par leur projet quand ils lui ont décrit leur idée d'un théâtre au milieu du désert. Ils étaient ravis de compter avec une actrice d'un autre pays, il faudrait ajouter son nom étranger à l'affiche et, qui sait, cela ferait peut-être accourir les foules.

Maintenant, Nayla était assise sur une chaise au

milieu de la scène, les mains sur les genoux, tandis que les conquistadors s'interpellaient les uns les autres ou apostrophaient le public, sur quoi les Atacameños pouffaient de rire. Quand un conquistador tapait du revers de la main sur son texte, les autres en profitaient pour sortir eux aussi de leur personnage et s'éventer ou passer un bras sur leur front en sueur. Puis le jeu reprenait, opérant tant bien que mal son retour en arrière de près de cinq cents ans, et quand l'Indienne, en la personne de Nayla, tentait de se lever ou de prendre la parole, on la faisait taire par une main menaçante ou un regard assassin. Enfin, lorsque les Espagnols lui permettaient de donner sa version des faits, elle rappelait avec force détails les événements ayant mené à son arrestation pour tenter de démontrer qu'elle n'était pour rien dans le complot visant à assassiner Pedro de Valdivia, ce qui soutirait des haussements d'épaules incrédules ou, au mieux, des airs perplexes.

Sortant d'un nuage de poussière, une voiture s'est avancée au ralenti pour s'arrêter à une dizaine de mètres du lieu de l'interrogatoire. La tête puis le corps au complet du carabinier rencontré précédemment sont apparus. Un des garçons conquistadors a quitté le demi-cercle de la scène pour s'avancer vers l'homme qui, le bassin appuyé contre la portière du passager, se roulant une cigarette, a détourné la tête vers un des flancs de montagne et a fait un geste dédaigneux de la main, comme pour éloigner une mouche, pour effacer la présence de l'autre. En silence, le garçon est revenu vers la scène, et la lecture de la pièce a repris. On a voulu faire goûter au carabinier sa propre médecine, sans se douter, a pensé Nayla, que revenir d'un coup au XVIe siècle n'était pas un jeu d'enfant, sans se douter que les conquistadors, les yeux rivés au sol pour garder leur concentration, n'arriveraient plus à être autre chose que de jeunes étudiants épris d'idéal, d'esthétisme et de justice sociale. Pendant ce temps, le carabinier savourait parcimonieusement le goût amer et apaisant de la fumée de sa cigarette, les lèvres charnues, l'index et le majeur sous le nez, tout en observant la scène de ses yeux fendus et scintillants. Alors qu'elle devait perdre tous ses moyens, c'est avec vraisemblance qu'elle a caché son visage derrière ses mains pour sangloter, et qu'elle s'est mise à se balancer comme si elle priait, les coudes sur les genoux, un abîme de rage et de confusion s'ouvrant à ses pieds, cernée par les applaudissements des autres qui lui faisaient du vent et qui louaient à sa surprise ses talents d'actrice.

ANTOINE EST arrivé à la plage au moment où le soleil déclinait, au moment où les mouettes sillonnaient nerveusement l'horizon et où les familles s'en allaient par grappes, les enfants oubliant une sandale, une pelle en plastique, les parents marchant devant, le regard encore brûlé par la lumière de l'après-midi. Il sortait d'une sieste et, délicieusement étourdi, les sens en éveil, il imaginait à la moindre scène ou au moindre objet aperçu (un couple lisant dos à dos, une poubelle débordante de déchets que des crabes se disputaient, des pêcheurs étendus sur le sable, la chemise entrouverte et trempée) des prises de vue stimulantes, et plus d'une fois il avait été sur le point de retourner à la pension pour y chercher son appareil photographique, tout en sachant qu'au retour, vu l'obligation de photographier, une partie de l'émerveillement l'aurait quitté.

Nayla s'est pointée près d'une heure en retard. Elle a étendu une serviette sur le sable tiède et n'a enlevé que son jean. Elle fixait la mer, le profil fermé, une lueur d'héroïsme dans l'œil. Antoine a passé un bras autour de ses épaules, a déposé un baiser sur sa joue, a vainement tenté de la dérider en lui racontant une blague salée ; elle n'a pas cédé à l'envie de le repousser.

Antoine s'est tourné sur le ventre, a croisé les mains sous sa tête. De sa voix monocorde de revenant, elle lui a demandé s'il avait déjà aperçu les files d'Atacameños dans le désert. Antoine a fait oui de la tête et s'est relevé sur un coude. Hier, elle avait suivi à vélo un groupe d'autochtones jusqu'à Vicuña, un village à une dizaine de kilomètres, au cœur du désert, là où avait vécu Gabriela Mistral, il en avait sûrement entendu parler. Un par un, ils avaient pénétré dans une maison basse en ciment, surmontée de cylindres de métal desquels s'échappait une fumée abondante. Elle s'était approchée de l'entrée où une plaque de métal, de la grandeur d'un panneau de signalisation, portait le scorpion noir, le signe de l'agence. Les Atacameños ressortaient aussitôt, sans sac sur le dos, pour rebrousser chemin. Elle a eu un petit rire.

— Tu sais ce que ça veut dire, n'est-ce pas ?

— C'est là qu'ils produisent l'ezquété...

Elle a gardé sur son visage une expression d'étonnement et de frayeur.

— Ils sont partout, tu te rends compte, a-t-elle dit tout bas, sans le regarder.

Antoine a caressé le poil d'une de ses cuisses, les yeux fixes, se demandant pourquoi elle faisait tout un plat de cette histoire.

— Je sais ce que tu penses, a-t-elle repris de sa voix atone. On savait déjà tout ça. Mais tout de même, de le constater comme ça, de visu, à l'autre bout du monde, avoue que ça donne un choc.

Ne voulant pas la contrarier, Antoine a hoché la tête. Il pensait à la fuite de Nayla, à son ardent désir d'oublier le passé, la douleur, le deuil. Dans la *Lettre à Ménécée,* Épicure définit le plaisir comme une « absence de douleur pour le corps », une « absence de trouble pour l'âme ». Après avoir mis en garde le lecteur contre le danger d'associer le « plaisir » à la « jouissance », à des « beuveries et des festins », à une « table somptueuse », il avance que le plaisir n'est atteignable qu'avec un « entendement sobre et sage », qu'avec « prudence ». Nayla n'était-elle pas en train de faire le dur apprentissage de cette « prudence » ? Cheminait-elle vers ce qu'Épicure appelle « vivre comme un dieu parmi les hommes », c'est-à-dire en ayant surmonté la peur de la mort ?

Et lui ? Avait-il surmonté la peur de mourir ?

Devait-il rentrer au pays ? Que pouvait-il de plus pour son amie ? Il a alors revu la gaieté du regard de Susana et s'est senti envahi par un halo de chaleur et de bien-être, par une odeur de peau et de parfum bon marché.

Au bout d'une demi-heure environ, Nayla s'est levée, sans lui préciser qu'elle allait à sa répétition, redoutant, lui a-t-il semblé, son ironie à l'égard des idées politiques de la troupe.

Il a quitté la plage au moment où, au-dessus de la péninsule en forme d'écrevisse de Coquimbo, la ville voisine, un lourd rouleau de nuages noirs menaçait de crever. Il a emprunté une rue piétonne étroite et escarpée, où les balcons aux jalousies ouvertes débordaient de copihues rouges, et s'est surpris à se rendre à son rendez-vous galant soulevé par un enthousiasme adolescent qui l'a amusé. Il s'est installé à la terrasse du Gato Calavera, protégé du vent et des regards indiscrets par le parasol incliné et, une fois que le serveur lui eut apporté sa commande, se calant confortablement dans la chaise, il a observé le bock de bière qui descendait lentement, presque au même rythme que le passage des nuages faisant de l'ombre et fuyant vers le nord.

Au pas de course, Susana a traversé la rue pour ensuite se cogner la hanche contre le treillage de bambou blanc à l'entrée. Leurs joues se sont effleurées, le parfum à l'arôme d'orange de la fille s'est mêlé à l'odeur des amandes grillées de la confiserie du coin, et elle s'est laissée tomber sur une chaise en s'éventant d'une main. Elle se massait les tempes pour chasser un mal de tête, s'est longuement vidé le cœur en racontant ses déboires au boliche. Elle a écouté ses conseils d'une oreille distraite, mais aussitôt qu'il s'est mis à décrire les « us et coutumes des pays du Nord », comme elle disait ironiquement, elle a suivi ce qu'il racontait avec une attention soutenue qui a peu à peu été remplacée par un rictus vaguement humilié, comme si elle ne pouvait admettre qu'il pût exister des vies aussi oisives, comme si elle prenait pleinement conscience du fossé entre ses aspirations et sa réalité. Il s'est hâté de salir de graffitis les immeubles de New York, de Paris et de Londres, mais c'était manifestement trop tard, le regard de Susana s'était irrémédiablement figé au sol.

Il l'a complimentée sur la couleur (un lilas violet) de sa blouse pour faire diversion. Dès lors, elle a souri à toutes les plaisanteries qu'il lui a racontées et a jeté un, deux, trois coups d'œil sur sa montre. En esquissant une grimace navrée, elle a fait mine de se lever : les enfants de sa sœur étaient à la garderie, elle avait promis d'aller les chercher. Elle était désolée, vraiment. La figure embrasée d'une bienveillance ingénue, Antoine a fait semblant de croire à son excuse.

Déjà elle s'éloignait à pas précipités, mécaniques, et traversait la rue, fidèle à son habitude, aux endroits les plus dangereux. Cette fois, c'était plus fort que lui, il allait la suivre. Quand elle a pris l'avenue Francisco de Aguirre, Antoine a deviné qu'elle se dirigeait vers la plage. Elle a longé les condominiums et les hôtels de luxe du littoral, sous ce ciel étonnant, à présent complètement dégagé, ne s'est pas laissé décourager par la pente raide aux abords d'une crique. Antoine a pressé le pas et, une dizaine de minutes plus tard, il s'est retrouvé au sommet de la pente qui surplombait une étendue désertique aux touffes d'herbe clairsemées.

Il a alors aperçu la maisonnette en briques, au toit en tôle ondulée, où elle a pénétré pour aussitôt ressortir par la porte de derrière qui donnait sur un terrain plat, jonché de planches, de seaux usés, d'un tas de ferraille, et où une chèvre broutait, nonchalante, dans un entassement d'ordures. Dans un coin de la cour, un homme brun et trapu, affalé sur une chaise de patio, au pied duquel jouaient deux gamins, grillait une cigarette. Il n'a pas tourné la tête vers elle quand elle a surgi pour plaquer un baiser sur sa joue. Elle a enlevé ses chaussures qu'elle a balancées en les tenant du bout des doigts, la main libre posée sur la hanche formant un triangle, comme si elle attendait qu'il dise quelque chose, puis elle est rentrée. Antoine s'est assis sur des caisses de kiwis devant un entrepôt en planches. Elle est réapparue, un tablier par-dessus la blouse et la jupe, tenant à bout de bras un panier d'osier rempli de vêtements. Comme elle suspendait à la corde à linge des chemises pleurant de longues larmes, Antoine s'est levé et, avant de rebrousser chemin, il a été pris d'un fou rire qui s'est terminé par des picotements au visage.

2

C'ÉTAIT LE jour de la première. Jusqu'en début d'après-midi, sans manger ni boire, les volets clos, imaginant le bruit familier des marmites et de l'eau qui coulait dans l'évier à l'étage en dessous chez la patronne, Nayla est restée cloîtrée dans la chambre, sous les couvertures, les paupières entrouvertes.

Quand elle est sortie, revêtant pour la première fois une robe d'été avec des fleurs — la même qui lui servirait de costume durant la pièce —, elle a marché lentement, à côté de son vélo, tandis que le soleil lavait le trottoir de sa lumière blanche, pour apercevoir les lèvres de deux camionneurs qui formaient un O, leurs yeux qui roulaient lourdement comme des boulets de canon : on la sifflait. Au coin de la rue, elle a acheté une empanada qu'elle a mangée en marchant. Elle a fait halte devant la vitrine d'une boutique qui exhibait des mannequins, accoutrés de vêtements démodés et poussiéreux. Elle s'est assise sur un banc de la place d'Armes, au pied d'une église à la façade blanche comme un drap lavé, sous un palmier rachitique, malade, pour essuyer la sauce qui avait coulé sur un de ses bras nus.

Elle l'a d'abord aperçu debout, le dos appuyé contre le véhicule blanc et vert, coiffé de sa casquette de carabinier, un pouce à l'intérieur de la poche de son pantalon, le regard dirigé vers l'autre bout de la rue. Elle l'a perdu de vue comme elle faisait semblant d'être absorbée par le clapotis de la fontaine, l'a revu en face de la guérite au toit en osier : il s'essuyait le front en bavardant avec une femme joufflue qui portait un châle sur la tête, la casquette relevée, sa main libre grattant lentement le bas de son dos, dans un geste étrange, désarticulé. Il a pris congé de la dame, a effleuré la visière de sa casquette et a fait demi-tour avant d'emprunter la promenade sinueuse de la place d'un pas flottant, comme s'il voulait signifier que cette journée lumineuse lui donnait des ailes.

En venant droit vers Nayla, il chaussait des verres fumés d'aviateur où se reflétait l'azur scintillant, miraculeusement uniforme. Elle a senti un tourbillon aigu partir de ses hanches pour se déverser sur sa poitrine. Elle s'est souvenue des draps humides dans lesquels elle se roulait, comme droguée, en pensant à lui depuis une semaine; s'est souvenue d'une conversation avec le vieux du kiosque: la complicité des carabiniers avec le régime militaire sous la dictature n'ayant jamais fait l'objet d'un procès était la preuve, selon le vieux, que, malgré le retour à la démocratie, un fascisme latent assombrissait la vie quotidienne du pays. Elle a suivi du regard le visage de bronze du policier, simulacre invitant, douloureux. Il est passé devant elle sans la saluer. Ses fesses se contractaient à chaque foulée ; ses veines saillantes, mélodramatiques, sur ses bras dorés ; la courbe impétueuse, fugace, d'un muscle qui remontait derrière son oreille.

Nayla s'est redressée : les mains derrière le dos, le profil noirci par l'ombre de la visière, il indiquait de son majeur roide le sens du trottoir qu'il allait emprunter.

Sa tête a flotté au-dessus d'une lignée d'arbustes taillés pour disparaître derrière un imposant mur en blocs de ciment. Elle a regardé autour d'elle : des badauds, des vendeurs ambulants causant entre eux, le véhicule de police et ses lumières intermittentes et, derrière un halo vaporeux de poussière, le va-et-vient laborieux, irritant, des automobiles. Elle a agrippé son vélo et lui a emboîté le pas. La foule était tout d'un coup étonnamment dense, oisive. Un chariot couvert d'une toile blanche qui claquait au vent a surgi, poussé par un unijambiste. Elle l'a contourné en se mettant à courir ; elle entendait son propre souffle — ou croyait-elle l'entendre ? Elle l'a aperçu qui, à grandes enjambées, franchissait une clôture métallique.

C'était un hangar mangé par la rouille, au toit de travers, bondé de voitures cabossées. Les véhicules s'entassaient à l'intérieur, dans tous les sens, ainsi que sur un terrain attenant où le vent soulevait des particules noires de terre contaminée. L'endroit, sans fenêtre, empestait l'huile à moteur et le plastique calciné. Nayla s'est arrêtée sur le seuil d'un air gauche. Le carabinier discutait avec deux hommes maigres en salopette aux grimaces acides. Ils hochaient la tête, tout en s'essuyant les mains avec des torchons maculés d'huile. La conversation a duré un bon moment, et pas une fois le policier n'a jeté un œil vers elle. Soulevant le bras vers ses deux interlocuteurs, la main grande ouverte, il est sorti du hangar en les guettant de ses yeux vifs, comme pour prolonger une défiance ironique. Sans se préoccuper d'elle, il s'est perdu dans le labyrinthe de voitures.

Le vent soulevait la robe de Nayla, tandis que les deux mécaniciens la toisaient, échangeaient des regards lubriques. Elle a appuyé le vélo à un tas de pneus pour s'engouffrer dans le miroitement aveuglant du dédale de voitures. Le soleil léchait sa nuque, une fatigue soudaine s'est emparée de ses membres et, chose étrange, elle a eu la sensation qu'un liquide visqueux dégoulinait entre ses cuisses.

Elle a débouché sur un espace libre, presque enfoui sous les herbes jaunes et sauvages, encerclé par des voitures accidentées, où s'érigeait une grue bleue inactive sur laquelle il était adossé. Une hirondelle a découpé le ciel, le vent a fait fléchir l'herbe aux pieds du policier. Sa tête carrée, sculpturale, incandescente, était obstinément levée vers le ciel, les lèvres en mouvement, le soleil pulvérisé sur ses verres fumés. Il lui parlait sans la regarder, lui faisait lentement, péniblement signe de s'approcher du majeur et de l'index. Frénétique, sous la ceinture, son autre main s'approchait et s'éloignait d'elle, exhibait puis voilait un bout de peau rose. Son épiderme sans poil, brun-orange de la tête aux pieds, évoquait le scintillement de lingots d'or.

Elle s'est approchée comme il se hissait pour s'étendre sur le capot de la grue. Au moment où elle montait à son tour sur l'aileron brûlant, il lui a tendu la main, moins pour l'aider que pour l'attirer vers lui et lui masser les hanches comme s'il polissait un vase. Il exhalait une senteur de paraffine piquante, chimique. Il frottait son visage décomposé sur le cou, les seins, les cuisses de Nayla, les yeux révulsés, les dents saillantes comme un chien aux abois. Au bout d'un moment, elle ne sentait plus le bas de son corps où roulaient, possessifs, des doigts noueux qui s'enfonçaient dans sa chair. Elle s'est penchée sur lui pour goûter, sous la pellicule de sueur, l'amertume, la frustration salée de son torse, mais aussi ses envies mal dissimulées, fougueuses, de viol carbonisé, de torture méticuleuse, dont l'objectif d'arracher des aveux avait été oublié depuis des lustres. Elle flottait au-dessus de lui comme un sac à ordures ballotté par le vent; pour prendre un point d'appui, elle a tâté son crâne, a lissé ses cheveux drus, férocement noirs. Elle se sentait éreintée et ivre, comme immergée dans la lumière blanche de la machine du Valmont. La petite culotte a roulé sur ses hanches, des mains ont pétri sa taille, et sa croupe a été soulevée avec une facilité déconcertante, comme si une force occulte avait pris possession de son être, pour tomber et être soulevée de nouveau. Le plaisir, ardent, râpeux, faisait sortir ses yeux de leur orbite.

La joue appuyée sur le front du carabinier, Nayla distinguait au loin les toits inégaux, enduits de smog, sur fond de cet azur phosphorescent qui au début l'enchantait tant. Elle s'est laissée glisser sur le sol sans mot dire. Il n'a pas bronché.

Agrippées au guidon, les mains de Nayla tremblaient; la douleur, vive comme une plaie infectée, démangeait l'intérieur de ses cuisses. Quand le vent relevait sa robe, elle évitait de regarder les taches d'encre de ses bleus et les signatures agressives des égratignures sur ses jambes. Elle percevait encore l'odeur toxique du corps de l'homme, revoyait ses petits mamelons bruns, roides comme des clitoris, rugueux comme des fruits secs, ses yeux aux cils efféminés, sa langue épaisse, âpre, qu'il déroulait sur ses seins insatiables.

Au milieu du désert, le vent a séché la sueur qui perlait sur son front. Autour, pas une âme, pas même un chien errant. Sa vie, c'était ce plateau de rochers vermeils endormis, ce paysage lunaire, sous ce ciel surréel, ironique. À présent, elle était seule — Antoine était reparti à Montréal depuis quelques jours, Susana lui avait menti, la vie sans obligation qu'il menait l'angoissait de plus en plus —, elle n'était pas pressée de reprendre sa vie d'antan, allait étirer le plus possible chaque journée, emprunter toutes les voies s'offrant à elle… Chercherait-elle à *le* revoir ?

Elle a vu la foule au loin, debout sur les estrades, qui haranguait les acteurs déjà dispersés sur la scène. Les visages de pierre, les ailes du nez dramatiques, ces derniers lui ont fait signe de prendre place sur la chaise où devait avoir lieu l'interrogatoire. L'agressivité désordonnée du public lui faisait l'effet de battements d'ailes confus. Un des acteurs s'est avancé, un porte-voix à la main, on a étendu par terre des peaux de guanaco, et la foule, rongeant son frein, arborant une solennité contrariée, s'est enfin assise.

Au bout d'un moment, concentrée sur les petites explosions de poussière que provoquait chaque foulée des conquistadors, elle s'est dit, lucide, qu'elle aurait voulu que la représentation ne cesse jamais. Tandis que les conquistadors examinaient les étapes du « meurtre insidieux » qu'elle avait cherché à faire passer pour un « accident », elle incarnait avec de plus en plus de facilité la gestuelle de la jeune autochtone. Elle s'est dit en souriant tristement que, oui, elle allait le revoir pour retrouver son odeur capiteuse, pour pétrir les muscles saillants, élastiques, de ses cuisses, pour renouer éternellement avec le passé, ce passé envahissant comme une nuit sans lune. Elle allait s'époumoner, agripper le sexe de l'homme à deux mains, l'endolorir, le vider de son suc, fouiller ses orifices, les ausculter, elle allait faire tout cela et bien d'autres choses encore, elle allait mourir quelques fois et puis renaître, une, deux, trois fois, jusqu'à ce qu'elle réussisse contre toute attente, toute logique, à changer irrémédiablement de peau. Tout à coup, elle s'est sentie légère, libre, insouciante, soulevée par la brise égale de cet après-midi déclinant, comme cela ne lui était plus arrivé depuis des mois.

EXTRAIT DU CATALOGUE

Georges Anglade
Les Blancs de mémoire

Emmanuel Aquin
Désincarnations
Icare
Incarnations
Réincarnations

Denys Arcand
Le Déclin de l'empire américain
Les Invasions barbares
Jésus de Montréal

Gilles Archambault
À voix basse
Les Choses d'un jour
Comme une panthère noire
Courir à sa perte
De si douces dérives
Enfances lointaines
Les Maladresses du cœur
L'Obsédante Obèse et autres agressions
Le Tendre Matin
Tu ne me dis jamais que je suis belle
Un après-midi de septembre
Un homme plein d'enfance

Michel Bergeron
Siou Song

Nadine Bismuth
Les gens fidèles ne font pas les nouvelles

Lise Bissonnette
Choses crues
Marie suivait l'été
Quittes et Doubles
Un lieu approprié

Neil Bissoondath
À l'aube de lendemains précaires
Arracher les montagnes
Tous ces mondes en elle
Un baume pour le cœur

Marie-Claire Blais
Dans la foudre et la lumière
Soifs
Une saison dans la vie d'Emmanuel

Elena Botchorichvili
Le Tiroir au papillon

Gérard Bouchard
Mistouk

Jean-Pierre Boucher
La vie n'est pas une sinécure
Les vieux ne courent pas les rues

Jacques Brault
Agonie

Louis Caron
Le Canard de bois. Les Fils de la liberté I
La Corne de brume. Les Fils de la liberté II
Le Coup de poing. Les Fils de la liberté III
Il n'y a plus d'Amérique
Racontages

André Carpentier
Gésu Retard
Mendiant de l'infini

Jean-François Chassay
L'Angle mort

Ying Chen
Immobile
Le Champ dans la mer
Querelle d'un squelette avec son double

Ook Chung
L'Expérience interdite

Joan Clarke
La Fille blanche

Matt Cohen
Elizabeth et après

Gil Courtemanche
Un dimanche à la piscine à Kigali

Judith Cowan
Plus que la vie même

Esther Croft
Au commencement était le froid
La Mémoire à deux faces
Tu ne mourras pas

France Daigle
Petites difficultés d'existence
Un fin passage

Francine D'Amour
Écrire comme un chat
Presque rien

Louise Desjardins
Cœurs braisés

Germaine Dionne
Le Fils de Jimi

Christiane Duchesne
L'Homme des silences

Louisette Dussault
Moman

Gloria Escomel
Les Eaux de la mémoire
Pièges

Jonathan Franzen
Les Corrections

Christiane Frenette
Celle qui marche sur du verre
La Nuit entière
La Terre ferme

Lise Gauvin
Fugitives

Louis Hamelin
Le Joueur de flûte
Le Soleil des gouffres

Bruno Hébert
Alice court avec René
C'est pas moi, je le jure !

David Homel
Orages électriques

Suzanne Jacob
Les Aventures de Pomme Douly
L'Obéissance
Parlez-moi d'amour
Wells

Marie Laberge
Adélaïde
Annabelle
La Cérémonie des anges
Florent
Gabrielle
Juillet
Le Poids des ombres
Quelques Adieux

Marie-Sissi Labrèche
Borderline
La Brèche

Robert Lalonde
Des nouvelles d'amis très chers
Le Fou du père
Le Monde sur le flanc
de la truite

Monsieur Bovary
ou mourir au théâtre
Le Vacarmeur
Où vont les sizerins flammés
en été ?
Un jardin entouré de murailles

Monique LaRue
La Démarche du crabe
La Gloire de Cassiodore

Hélène Le Beau
Adieu Agnès
La Chute du corps

Rachel Leclerc
Noces de sable
Ruelle Océan

Alistair MacLeod
La Perte et le Fracas

Francis Magnenot
Italienne

André Major
Histoires de déserteurs
La Vie provisoire

Gilles Marcotte
Une mission difficile
La Vie réelle
La Mort de Maurice Duplessis
et autres nouvelles

Yann Martel
Paul en Finlande

Alexis Martin et Jean-Pierre Ronfard
Transit section nº 20
suivi de *Hitler*

Stéfani Meunier
Au bout du chemin

Anne Michaels
La Mémoire en fuite

Michel Michaud
Cœur de cannibale

Marco Micone
Le Figuier enchanté

Hélène Monette
Le Blanc des yeux
Plaisirs et Paysages kitsch
Un jardin dans la nuit
Unless

Yan Muckle
Le Bout de la terre

Pierre Nepveu
Des mondes peu habités
L'Hiver de Mira Christophe

Michael Ondaatje
Le Fantôme d'Anil

Nathalie Petrowski
Il restera toujours le Nebraska
Maman last call

Daniel Poliquin
L'Écureuil noir
L'Homme de paille

Monique Proulx
Les Aurores montréales
Le cœur est un muscle involontaire
Homme invisible à la fenêtre

Rober Racine
Le Cœur de Mattingly
L'Ombre de la Terre

Bruno Ramirez et Paul Tana
La Sarrasine

Yvon Rivard
Le Milieu du jour
Les Silences du corbeau

Louis-Bernard Robitaille
Le Zoo de Berlin

Alain Roy
Le Grand Respir
Quoi mettre dans sa valise?

Hugo Roy
L'Envie

Kerri Sakamoto
Le Champ électrique

Jacques Savoie
Les Portes tournantes
Le Récif du Prince
Une histoire de cœur

Mauricio Segura
Bouche-à-bouche
Côte-des-Nègres

Gaétan Soucy
L'Acquittement
Catoblépas
Music-Hall!
La petite fille qui aimait trop les allumettes

Marie José Thériault
Les Demoiselles de Numidie
L'Envoleur de chevaux

Pierre-Yves Thiran
Bal à l'abattoir

Guillaume Vigneault
Carnets de naufrage
Chercher le vent